Chère lectrice,

Cette sélection d'auto... à découvrir des héroïnes qu... périodes difficiles, savent garder confiance en elles-mêmes et surtout... en l'amour !

C'est le cas d'Olivia, qui voit le couple dont elle a accepté de porter le futur bébé disparaître accidentellement, en lui laissant *Un enfant en cadeau* (n° 1779). Un cadeau qu'elle préférerait partager... avec un homme !

Vous ferez ensuite la connaissance de Julia, dont le rêve est d'offrir à son fils Christopher, qu'elle élève seule, *Une famille parfaite* (n° 1780). Un véritable défi, car trouver un homme aussi à l'aise dans le rôle de père que dans celui d'amant est loin d'être simple !

Divorcée, Elizabeth panique en découvrant que son ex-mari a enlevé leur fils. Pour ne pas perdre un instant, elle accepte de voyager *En toute intimité* (n° 1781) dans l'avion privé de son beau-frère, qui lui a toujours inspiré un mélange de peur et d'attirance...

Femme d'affaires accomplie, Pénélope, quant à elle, n'a pas peur de proposer à Stefano, son concurrent, un mariage d'intérêt. Par pure stratégie, ce dernier accepte, mais l'union s'engage si mal qu'il y a fort à parier que ces *Mariés d'un jour* (n° 1782) décident de ne pas prolonger l'expérience...

C'est *Une rencontre imprévue* (n° 1783) qui décidera du sort de Josie, une jeune femme en cavale, dont le principal souci est de fuir son fiancé, qu'elle vient d'abandonner au pied de l'autel...

Enfin si Lindsay, une jeune femme indépendante et de surcroît très séduisante, aspire à *Un bonheur pour deux* (n° 1784), elle apprendra à sa grande surprise que le bonheur, parfois, prend un tour quelque peu... inattendu !

Bonne lecture, et au mois prochain !

La responsable de collection

À partir du 15 novembre, découvrez,
dans la collection Horizon,
une nouvelle trilogie…

La famille Chandler

À travers trois passionnants romans, découvrez les aventures de Maddy, Jessica et Ryan Chandler qui, à l'occasion de réunions de famille orchestrées par leur facétieuse grand-mère, chef incontesté du clan, voient leur destin basculer de manière inattendue…

Un programme à ne pas manquer
les 15 novembre, décembre et
janvier prochains.

Mariés d'un jour

DAY LECLAIRE

Mariés d'un jour

COLLECTION HORIZON

*Cet ouvrage a été publié en langue anglaise
sous le titre :*
THE BRIDE'S PROPOSITION

Traduction française de
CHRISTINE DERMANIAN

HARLEQUIN ®
est une marque déposée du Groupe Harlequin
et Horizon ® est une marque déposée d'Harlequin S.A.

*Toute représentation ou reproduction, par quelque procédé que ce soit, constitue-
rait une contrefaçon sanctionnée par les articles 425 et suivants du Code pénal.*
© 2000, Day Totton Smith. © 2001, Traduction française . Harlequin S.A.
83-85, boulevard Vincent-Auriol, 75013 Paris — Tél. 01 42 16 63 63
Service Lectrices — Tél 01·45 82 47 47
ISBN 2-280-14199-X — ISSN 0993-4456

Prologue

— Stefano Salvatore est bien le dernier homme au monde auquel je ferais confiance.

— Allons... Pourquoi dis-tu cela ?

Pénélope se pencha au-dessus de la table à laquelle elle était assise pour prendre le petit pot de crème qu'elle avait commandé avec son café. C'était là une manœuvre destinée à mieux entendre la conversation qui se déroulait à la table voisine, entre deux femmes aussi jeunes que séduisantes. Des femmes d'affaires, de toute évidence, qui avaient décidé de profiter de cette belle journée d'été pour déjeuner à la terrasse de ce café situé en plein cœur de San Francisco.

Et elles parlaient justement de l'homme auquel Pénélope s'apprêtait à faire une proposition de la plus haute importance.

— Je te concède que rien n'a pu être prouvé, reprit la première femme, une blonde aux allures désinvoltes et au regard aigu. Mais tout le monde sait qu'il est coupable.

La seconde femme, qui portait le nom de Lisa, acquiesça.

— Une déduction logique, même si elle ne s'appuie sur aucun fait concret. Dommage...

La dénommée Lisa était une ravissante brune aux cheveux courts, à la bouche pulpeuse, dotée d'une voix sensuelle à laquelle les hommes n'étaient sans doute pas insensibles.

— C'est toujours regrettable qu'un homme qui jouit d'une bonne réputation tombe en disgrâce, ajouta-t-elle. L'honneur est une denrée si rare, de nos jours.

La blonde hocha la tête.

— Je doute que quiconque daigne lui faire confiance, désormais. Certainement pas dans le milieu des affaires, en tout cas, même s'il porte le nom de Salvatore. Et je serais tout aussi surprise qu'il réussisse à susciter la confiance d'une femme, après ce qui s'est produit avec son ex-fiancée.

— J'ai entendu dire qu'il était superbe, Kim...

— Il l'est, pas l'ombre d'un doute là-dessus ! Ce qui le rend d'autant plus dangereux. Les femmes l'adorent. Ou du moins, l'adoraient. Non content d'être beau, il est nanti de ce charme irrésistible qu'ont certains Méditerranéens, auprès desquels on se sent la femme la plus adorée du monde. Tu saisis ?

— Très bien, répondit Lisa avec un petit soupir.

Pénélope tourna la tête afin que ses voisines ne la voient pas sourire. L'ironie de la situation ne lui échappait pas. Elle était assise là, un dossier concernant Stefano Salvatore ouvert devant elle, et en quelques minutes à peine, ces femmes lui avaient fourni plus d'informations sur l'homme qui l'intéressait que ce rapport soi-disant détaillé. Si elle avait rencontré Kim avant de s'adresser à un détective privé, elle aurait fait de substantielles économies !

— Toutes ces rumeurs sont peut-être fausses, déclara Lisa. Tu m'as dit toi-même qu'aucune preuve n'avait pu être retenue contre lui.

— Je te rappelle qu'il ne s'est pas défendu. En outre, Kate Bennett, sa fiancée, a rompu dès que cette histoire a éclaté au grand jour. Réfléchis un peu. Elle ne l'aurait pas quitté si elle n'avait pas été convaincue de sa culpabilité.

Lisa fronça le nez.

— Il faudrait donc se fier au dicton : « Il n'y a pas de fumée sans feu »...

— En l'occurrence, il ne s'agit pas d'un feu mais d'un véritable brasier ! Et je doute qu'il recouvre un jour sa bonne réputation, bien que tous ses frères le soutiennent. Observe bien ce qui se passera dans quelques heures, au bal. En supposant que Stefano ait l'audace d'y assister, les gens l'éviteront soigneusement. Personne ne voudra être vu en sa compagnie.

8

Lisa sourit.

— Et j'imagine qu'aucune femme ne voudrait être surprise à flirter avec lui !

Comme la jolie blonde regardait autour d'elle, Pénélope plongea la tête dans son dossier afin de ne pas être remarquée de celle-ci.

— Ce serait pourtant très tentant. Si je ne craignais pas de perdre mon emploi, je flirterais volontiers avec lui, comme tu dis. Et plus si affinités, selon la formule consacrée !

— Il est donc si attirant que cela ?

— Attirant est un piètre mot pour le décrire ! Il est beau comme un dieu...

— Tu me mets l'eau à la bouche, Kim !

Cette dernière baissa les yeux sur sa montre et grimaça.

— Il faut que j'y aille maintenant. Je dois finir de rédiger ce rapport pour Carter avant la fin de la journée. Viendras-tu à cette soirée ?

— Après le tableau que tu m'as brossé, je ne manquerais cela pour rien au monde !

— Alors je te dis à plus tard.

— Attends-moi, je pars aussi.

Pénélope attendit que les deux jeunes femmes aient disparu pour refermer son dossier. La conversation qu'elle venait d'entendre apportait la touche finale aux renseignements fournis par le détective privé. Un sourire de satisfaction se dessina sur ses lèvres. Voilà qui l'aiderait à prendre sa décision.

Stefano Salvatore était parfait. Il correspondait tout à fait à ce qu'elle attendait de lui. Davantage, même. Ce « davantage » l'inquiétait certes un peu, mais elle ferait en sorte que tout se déroule pour le mieux.

Elle quitta à son tour la terrasse du café, et, d'un pas déterminé, se dirigea vers l'immeuble des Salvatore. Inutile d'attendre. Il était temps de parler directement à Stefano. Temps de lui soumettre cette proposition qui, espérait-elle, lui paraîtrait des plus alléchantes.

1.

— J'ai une proposition à vous faire, monsieur Salvatore. Une proposition à caractère professionnel.

Assise en face de Stefano Salvatore, Pénélope Wentworth s'adossa confortablement à son siège et remonta ses lunettes à fine monture d'écaille avant de poser sur lui son regard le plus résolu. Résolu, il l'était certainement, vu qu'elle l'utilisait avec succès depuis l'âge de dix ans.

— Je voudrais que vous m'épousiez.

S'il fut surpris, il ne le manifesta guère. Pas même par un clignement des paupières. Au lieu de cela, il la fixa de ses yeux de jais, comme s'il avait en face de lui un spécimen unique qu'il n'avait encore jamais eu le loisir d'examiner. Elle était habituée à susciter ce genre de réaction. Depuis l'âge de dix ans, aussi. Mais cela ne la dérangeait pas. Ou tout au moins, ne la dérangeait plus depuis qu'elle avait fêté son douzième anniversaire. Elle avait alors compris que les adultes qui gravitaient autour d'elle étaient bien plus intimidés par elle qu'elle ne l'était par eux.

— Et depuis quand le mariage est-il considéré comme une proposition à caractère professionnel?

Le ton détaché sur lequel il s'était adressé à elle manqua la faire sourire.

— Le mariage est toujours une proposition à caractère professionnel, monsieur Salvatore. La plupart des gens dis-

10

simulent ce fait en se cachant derrière des sentiments. Pure complaisance, si vous voulez mon avis.

Il esquissa un bref sourire, et à ce moment-là, elle fut bien forcée d'admettre que les propos que tenait Kim un peu plus tôt ne reflétaient que la réalité. Elle n'exagérait pas, comme l'imaginait la jeune femme, en affirmant que Stefano Salvatore était beau comme un dieu. Des traits réguliers, assez fermes toutefois pour ne manquer ni de caractère ni de virilité. Un teint clair, qui mettait en relief le noir scintillant de ses cheveux et de ses yeux.

— Je vous remercie, mademoiselle... ?

— Wentworth. Pénélope Wentworth.

— Je vous remercie donc, mademoiselle Wentworth, mais il se trouve que je ne suis pas du tout intéressé par le mariage.

— Je vois. Sans doute à cause de votre récente rupture, qui a succédé à ce malheureux incident ?

Il bondit sur ses pieds, en un geste si brusque que Pénélope sursauta. Le cœur battant, elle se dit qu'elle aurait dû éviter de se montrer aussi abrupte. Mauvais début pour entamer des négociations... Il contourna son bureau d'une démarche lente, et s'arrêta à quelques centimètres d'elle. Puis il tendit les deux mains vers elle, la souleva de son siège, et, sans la lâcher, la conduisit jusqu'à la porte.

— Mais que... que faites-vous ?

— Je vous mets à la porte de mon bureau, mademoiselle Wentworth.

Elle avala sa salive. Elle ne gardait pas le souvenir de s'être jamais sentie aussi déroutée. Elle qui était toujours si maîtresse d'elle-même, qui ne perdait jamais le contrôle de la situation...

— Et auriez-vous l'amabilité de m'expliquer pourquoi ?

— Non, répliqua-t-il en ouvrant toute grande la porte. Je n'épouse pas les folles furieuses. En fait, Nellie, je ne prends même pas la peine de leur parler !

Sur ce, il la poussa vers le couloir et claqua la porte derrière elle.

Parfait ! Pénélope se tourna vers le lourd battant de chêne massif, et, après avoir remonté ses lunettes sur son nez, le fixa en pinçant les lèvres. Quel grossier personnage ! Il ne lui avait pas même laissé le temps de lui exposer tout ce qu'elle avait à lui dire. Sans réfléchir davantage, la jeune femme posa la main sur la poignée de la porte, et entra de nouveau dans la pièce dont on venait de l'éjecter.

Apparemment, Stefano Salvatore n'avait pas l'habitude qu'on le contrarie, car il s'était déjà remis au travail et ne leva la tête du dossier qu'il consultait que quand la porte claqua. A ce moment-là, il enveloppa Pénélope d'un regard calme, qu'elle jugea effrayant. Lentement, il se leva, et repoussa son fauteuil avec une force telle qu'il heurta le mur.

— Vous ne comprenez donc pas ce que signifie l'expression « mettre à la porte » ? lança-t-il, furieux.

Pour la première fois, elle remarqua une pointe d'accent chantant dans sa voix. L'effet de la colère, sans doute.

Nullement décidée à se laisser évincer, cette fois, elle redressa le menton et le toisa. S'il croyait l'intimider en se comportant ainsi, il se trompait. Elle avait assisté à bon nombre de réunions professionnelles, avec des hommes tout aussi irritables que lui. Un de plus ne lui faisait pas peur. Après tout, elle n'était confrontée qu'à de simples émotions, des émotions qui résistaient mal à une logique froide, déterminée. D'autant qu'elle était fermement résolue à aller jusqu'au bout de cet entretien.

— Monsieur Salvatore, vous n'avez pas pris la peine d'écouter tout ce que j'ai à vous dire.

— Et je n'en ai pas l'intention.

Italien. Cet accent était bel et bien italien. Et sensuel en diable. Sensuel ?... Elle s'égarait !

— Supposons que ma proposition soit liée à Janus Corporation ?

Cette fois, elle était certaine d'avoir réussi à capter toute son attention. Les bras croisés sur sa poitrine, il dardait sur elle ses yeux sombres.

— Allez-y, je suis tout ouïe.

Désignant du menton le siège qu'elle occupait un peu plus tôt, la jeune femme adressa un grand sourire à son interlocuteur.

— Vous étiez sur le point de m'inviter à m'asseoir, n'est-ce pas ?

Son sourire eut sur Stefano l'effet escompté. Il parut soudain un peu moins tendu, ce dont elle se félicita. Ses « adversaires » étaient souvent décontenancés par ce sourire chaleureux, dénué de toute ambigüité, auquel elle avait recours dans les situations difficiles. Elle avait appris depuis longtemps à utiliser tous les outils dont elle disposait pour arriver à ses fins, y compris le charme. En revanche, elle évitait toujours de s'investir personnellement dans une relation professionnelle. Cela l'aurait privée de cette objectivité qu'elle jugeait indispensable pour traiter correctement une affaire. Cette leçon, elle l'avait apprise des années auparavant et n'envisageait pas de l'oublier.

— Asseyez-vous, je vous prie.

Stefano s'était adressé à elle sur un ton autoritaire qui la fit grincer des dents. Au prix d'un effort, elle réussit toutefois à ne pas formuler les diverses ripostes qui lui montaient aux lèvres. Il lui en coûta de se taire mais elle y parvint, consciente que son esprit de repartie n'était pas toujours une qualité. Dans les circonstances actuelles, elle avait tout intérêt à tempérer sa verve.

Allons, sois honnête. Si tu n'avais pas la détestable habitude de prendre la direction des opérations, cette « invitation » ne t'aurait pas agacée à ce point !

— Merci beaucoup, murmura-t-elle, espérant ne pas s'exprimer trop sèchement.

Comme elle prenait place dans le fauteuil, Stefano revint s'asseoir à son bureau et, les bras posés sur les accoudoirs de son siège, lança :

— Quels sont les liens qui vous unissent à Janus Corporation, et pourquoi devrais-je être tenté par le mariage que vous me proposez ?

— Eh bien... on peut difficilement vous reprocher de ne pas aller droit au but ! Nulle trace en vous de ce charme dont vous vous targuez, vous, les Salvatore.

— Vous ne me trouvez donc pas charmant ? fit-il avec un petit sourire en coin.

— Pas du tout, même.

Pénélope venait de proférer un mensonge. Mais ce n'était pas très important. Avec le temps, elle s'efforcerait d'oublier que ce diable d'homme était bien plus que « charmant ». C'était là une qualité qu'il était préférable d'ignorer dans le milieu des affaires, et pour l'heure, elle ne devait en aucun cas s'écarter de la voie strictement professionnelle qu'elle s'était tracée.

— Parfait. J'ai moi-même découvert il y a peu que le charme était un défaut chez les femmes.

Cette remarque la laissa perplexe. Faisait-il allusion à toutes les femmes... ou à elle seule ? Cette pensée était absurde. Pénélope s'empressa de se ressaisir et de concentrer son attention sur l'objet de sa visite. Ce n'était cependant pas facile, avec pareil spécimen masculin en face d'elle. Réflexion faite, ce mariage avec Stefano Salvatore n'était peut-être pas une très bonne idée. Et pas seulement parce qu'il ne la laissait pas indifférente. Il lui donnait aussi l'impression d'être trop... agressif. Et trop indépendant. Elle doutait qu'il soit prêt à suivre des instructions, surtout si les instructions en question provenaient d'une épouse provisoire.

Puis elle se rasséréna, comprenant soudain que cette attitude dépourvue d'amabilité n'était pas directement dirigée contre elle. Ce comportement était sans doute lié à sa récente rupture, elle-même générée par ce fameux incident qui avait défrayé la chronique dans le milieu des affaires. De toute évidence, ces deux événements l'avaient profondément affecté. Pénélope ressentit alors pour lui une bouffée de sympathie — réaction qu'il n'aurait sans doute guère appréciée.

— Nous revoilà donc au point de départ, osa-t-elle répliquer. Le sujet tabou...

14

Il hocha la tête.

— J'en ai bien l'impression.

— Dans ce cas, passons à autre chose.

— Aux affaires, par exemple.

— Je suppose que je n'ai pas le choix ? Soit j'accepte, soit vous me mettez de nouveau à la porte.

— Une fine analyse de la situation ! Et maintenant, si vous m'expliquiez qui vous êtes, ce que vous voulez, et quel rapport il y a entre Janus Corporation et vous ?

— Janus Corporation m'appartient.

— La compagnie appartient à Crabe & Associés.

— Drôle de nom, n'est-ce pas ? observa-t-elle avec une grimace comique.

— Monstrueux !

Le sarcasme qui perçait dans sa voix n'échappa pas à la jeune femme.

— Bien, monsieur Salvatore, reprit-elle, je ne vous ferai pas perdre davantage de votre précieux temps. D'autant que j'aime autant, moi-même, que nous ne nous écartions pas du sujet qui nous intéresse : les affaires. Je suis Crabe et Associés, tout comme je suis Janus Corporation. Ces deux entreprises m'appartiennent.

— Vous avez des preuves de ce que vous avancez, je suppose ?

— Je pourrais vous les procurer sans grande difficulté.

Il fallut à Stefano quelques instants pour assimiler cette information. Au grand étonnement de Pénélope, il ne lui tendit pas le téléphone, et ne lui posa non plus aucune question piège. Au lieu de cela, il garda posé sur elle son regard scrutateur.

— Quel âge avez-vous ? fit-il enfin.

Pour une raison qui lui échappait, cette question l'amusa.

— Je ne saisis pas bien le rapport entre mon âge et ce que je viens de vous annoncer.

— Simple curiosité de ma part.

— Soit. J'ai vingt-six ans.

— Plutôt jeune, pour exercer de tels pouvoirs...

— Oh, je n'exerce aucun pouvoir ! Je me borne à posséder ces deux compagnies. C'est mon oncle qui les gère.

— Et cela vous ennuie ? Vous avez le sentiment que c'est vous qui devriez les diriger ?

Elle cligna des paupières.

— Les sentiments n'ont rien à voir avec ma décision.

Ils s'écartaient du chemin qu'elle s'était tracé, et elle fit une tentative pour les remettre dans la bonne direction.

— Monsieur Salvatore...

— Stefano.

Pénélope inclina la tête de côté. Après tout, s'ils étaient appelés à se marier, ce serait absurde de continuer à lui donner du « monsieur ».

— Bien... Stefano. Etes-vous intéressé par l'acquisition de Janus Corporation ?

— Il y a des années que ma famille essaie d'acheter Janus. Cela donnerait aux Salvatore une ouverture supplémentaire sur le marché de la côte Ouest.

— Il se trouve que je suis en mesure de permettre à votre famille de réaliser ce souhait.

— Et il faudrait pour cela que je vous épouse ?

— Exact.

— Pourquoi ?

La jeune femme se leva brusquement. Comment répondre à cette question ? Un homme de la trempe de Stefano ne comprendrait probablement pas ce qui, à ses yeux, était devenu vital pour son avenir. Sans parler de son oncle...

— Si vous m'épousez, je vous vendrai Janus Corporation à un prix très intéressant...

— Encore une fois... pourquoi ?

— Parce que seul le mariage me permettra d'entrer en pleine possession de mon héritage.

Elle se mit alors à faire les cent pas dans la grande pièce décorée dans un dégradé de tons ocre. Le regard lointain, elle s'arrêta auprès d'un canapé de cuir fauve, qu'elle caressa d'un geste distrait. Alors seulement, s'apercevant

16

que Stefano Salvatore attendait qu'elle poursuive, elle se tourna vers lui.

— Mes biens resteront sous le contrôle de mon oncle jusqu'à ce que j'aie quarante ans... ou que je me marie.

— Et vous voudriez donc que je participe à ce coup monté ?

Elle remarqua qu'il s'exprimait de nouveau avec cet accent chantant.

— A l'âge canonique de vingt-six ans, vous avez décidé que vous étiez plus apte que votre oncle à gérer ces entreprises, c'est bien ça ?

Elle rit. Ce son ridiculement bas, profond, aurait bien mieux convenu à un homme à la voix de baryton. Il provoquait en général le ravissement de ceux qui l'entouraient. Mais, exception faite d'un petit rictus au coin des lèvres, Stefano ne réagit pas.

— Non, je ne pense pas du tout être plus compétente que lui. Loren est un excellent homme d'affaires. Depuis qu'il gère mon héritage, sa valeur a décuplé.

— Dans ce cas, pourquoi avez-vous une telle hâte de prendre la direction de ces deux compagnies ?

Pénélope ne pouvait pas le lui dire. Le véritable motif de cette décision lui aurait paru déplacé. Elle se dirigea vers une autre partie de la pièce, où étaient exposées des photos. A la vue de ces clichés de famille, Pénélope ressentit un pincement au cœur. Quelque chose qui ressemblait à de l'envie. Manifestement, les Salvatore étaient aussi prolifiques qu'attirants. Il y avait là une bonne demi-douzaine d'hommes, sur divers clichés. Des hommes âgés de vingt-cinq à trente-cinq ans. Elle les examina rapidement. Sur toutes ces photos, Stefano arborait un charmant sourire. Elle avait l'impression que c'était à elle qu'il souriait.

La jeune femme prit l'une des photos et la regarda. Seigneur... Voilà que sa vue lui jouait des tours ! Elle avait l'impression qu'il y avait plus d'un Stefano qui lui souriait. Et une curieuse sensation de chaleur l'envahit tout entière. Elle se dit alors qu'il ne l'intéressait pas en tant qu'homme, et reposa le cadre si brusquement que le bruit métallique retentit dans la pièce. Elle n'allait tout de même pas succomber au charme de ce monsieur, aussi séduisant fût-il? Cela ne faisait pas partie de son plan!

— Vous n'avez toujours pas répondu à ma question, lança-t-il, la ramenant à la réalité.

Elle s'éclaircit la voix.

— Je le sais.

— Elle vous semble donc si difficile?

Pénélope inspira profondément et reporta son attention sur lui. Il s'était levé à son tour et se tenait à présent près d'elle. Trop près d'elle. Grâce au ciel, il ne lui souriait pas. Mais l'intensité de son regard suffisait à la troubler. Tout comme la troublaient les senteurs de chèvrefeuille de son eau de toilette.

Pourquoi fallait-il que ce soit justement lui, qu'elle ait décidé d'épouser? Un choix désastreux!

— Voyez-vous... j'ai du mal à vous dévoiler tout mon jeu, déclara-t-elle avec un sourire crispé.

Elle avait reculé afin de mettre un peu de distance entre eux. Mais il fit un pas en avant, réduisant ses efforts à néant.

— Essayez toujours.

— Bon...

La jeune femme s'écarta de nouveau de lui, et se dirigea vers la baie vitrée qui surplombait San Francisco. Ironie du sort, son propre bureau se trouvait juste en face de celui de Stefano Salvatore. Ils n'étaient séparés que par la largeur de la rue.

Ignorant les manœuvres de Pénélope pour se tenir à distance respectable de lui, Stefano la suivit jusqu'à la fenêtre, et ne s'arrêta qu'à quelques centimètres d'elle. Par-dessus son épaule, elle lui lança un regard exaspéré. N'avait-il donc aucun sens des convenances?

— Mon père était propriétaire de Crabe & Associés. Il a lui-même créé ce qui au départ, n'était qu'une minuscule entreprise et qui, au fil des ans, est devenu une firme importante. Mon oncle était son bras droit. Lorsque mes parents ont trouvé la mort dans un accident d'avion, oncle Loren a pris la relève. Tant d'un point de vue personnel que professionnel.

— Quel âge aviez-vous alors?

— Dix ans.

— Vous m'avez dit qu'il gérait très bien vos affaires, n'est-ce pas?

— Absolument.

— Et comment s'est-il comporté à votre égard?

Elle sourit en décelant une pointe d'inquiétude dans la voix de son interlocuteur. En dépit de ses allures pour le moins directes, Stefano Salvatore semblait doté d'un instinct de protection assez fort. Instinct sans doute lié au fait qu'il appartenait à une grande famille. Il avait certainement dû s'occuper de ses nombreux frères, ce qui expliquait sa réaction.

— Oncle Loren est un peu bourru. De toute évidence, élever une petite fille le déconcertait un peu. Mais il m'aime.

— Dans ce cas, où est le problème?

— Quand mon oncle m'a recueillie, il a décidé que je devais être parfaitement informée de ce dont je venais d'hériter, et que je devais aussi apprendre comment fonctionnait Crabe & Associés. J'ai donc commencé à assister à certains conseils d'administration, qu'il choisissait au préalable afin qu'ils ne me paraissent pas trop ardus.

Stefano ne fut pas surpris qu'elle élude sa question, en dépit de son apparente franchise. En l'espace de quelques minutes, il avait découvert que l'exquise Mlle Wentworth s'arrangeait pour éviter les sujets d'ordre trop personnel. Découvert aussi qu'elle était coriace! Elle s'était imposée dans son bureau, avec son absurde demande en mariage. De ce fait, il se sentait en droit de lui poser toutes les questions qui lui passaient par la tête.

— Est-ce que ces réunions vous plaisaient?

Le visage de la jeune femme refléta soudain la joie.

— Oh, oui, beaucoup! Pour le plus grand plaisir de mon

oncle, qui se réjouissait que nous ayons un point commun. Au fil des ans, mon intérêt pour les affaires s'est accru. Je suis diplômée de l'Ecole de commerce et d'industrie, je me suis spécialisée dans la finance internationale, et je joue désormais un rôle très actif dans les conseils d'administration de Crabe et de Janus.

Il fronça les sourcils.

— Je ne comprends toujours pas...

— Il y a maintenant seize ans que je baigne dans ce milieu. Assez longtemps, me semble-t-il, pour savoir ce que je veux faire de ces compagnies qui m'appartiennent.

En prononçant ces mots, elle s'était détournée de la fenêtre pour prendre un ouvrage dans la bibliothèque. Elle le feuilleta distraitement, et il comprit que c'était là une manœuvre pour ne pas le regarder. Intéressant.

— Il est temps d'orienter Crabe & Associés dans une nouvelle direction, ajouta-t-elle.

— Vous êtes donc décidée à retirer le contrôle des affaires à votre oncle. Et pourquoi avez-vous cru que j'accepterais de vous aider ?

Pénélope referma le livre d'un geste brusque et le remit à sa place avant de se tourner vers Stefano. Elle avait des prunelles d'une couleur étonnante. Un ton noisette clair pailleté d'or, mis en valeur par une frange de longs cils noirs.

— Parce que vous voulez Janus.

— Il y a beaucoup de choses au monde que je veux, Nellie, rétorqua-t-il d'une voix dure. Cela ne signifie pas pour autant que je sois prêt à tout pour les obtenir. Mais vous pensiez peut-être que ce « malheureux incident », pour reprendre votre propre expression, me rendrait plus sensible à votre proposition ?...

Elle lui adressa l'un de ces grands sourires dont elle avait le secret, et il la trouva alors très attirante.

— Je ne vous cacherai pas que l'idée m'a effleuré l'esprit, mais pas pour les motifs auxquels vous songez. Je ne me suis pas adressée à vous parce que je juge votre sens de l'éthique assez... souple pour que vous consentiez à me suivre dans mon plan. J'ai frappé à votre porte parce que je suis convaincue que ce serait une occasion rêvée de démontrer aux gens qu'ils se trompent à votre sujet. De prouver à tout un chacun que vous êtes un homme honorable.

Les traits du beau visage masculin se durcirent soudain.

— Et qu'est-ce qui vous permet d'affirmer une chose pareille ? Mais vous n'avez peut-être pas entendu toutes les histoires qui circulent sur moi...

— Si, je les ai entendues.

— Dans ce cas, que diable faites-vous ici ?

— Je n'y accorde aucun crédit, répondit-elle avec une simplicité déroutante.

Pendant les secondes qui suivirent, il la dévisagea.

— Vous ne..., articula-t-il enfin.

— Absolument. Vous avez bien entendu.

— Et comment en êtes-vous arrivée à cette brillante déduction ?

— J'ai demandé à un détective privé de mener une enquête sur vous.

— Et alors ? Raison de plus pour que...

D'un geste de la main, elle lui intima le silence.

— Ce n'est pas bien sorcier. Une affaire très logique, en fait. Vous étiez fiancé à une dénommée Kate Bennett. Sa famille possédait une compagnie petite mais rentable, et souhaitait passer un contrat lucratif avec une société d'outre-mer. Vous avez joué les intermédiaires, et le marché a été conclu. Malheureusement, la société en question s'est révélée frauduleuse. Ce n'était qu'une façade.

— Vous ne m'apprenez rien ! lança-t-il sèchement.

Elle le fixa, impassible. Ce regard, elle avait sans doute eu l'occasion de le peaufiner tout au long de sa carrière dans le milieu des affaires, songea Stefano. Et il faisait probablement merveille auprès de la plupart des hommes. Mais il se trouvait qu'il n'était pas « la plupart des hommes ».

— Je récapitule les points essentiels de cette histoire afin de mettre les choses à plat.

— Oh, désolé ! fit-il d'un ton qui démentait ses propos. Allez-y, continuez.

— Où en étais-je? Oui, voilà. Résultat des courses, la famille de Mlle Bennett y a laissé jusqu'à son dernier sou. Les Salvatore ont remboursé aux Bennett l'argent qu'ils avaient perdu, mais il était trop tard. Le mal était fait. Bien qu'aucune preuve n'ait pu être retenue contre vous, on vous a attribué d'office le rôle du méchant, puisque les apparences étaient contre vous. Or justement, il ne faut pas se fier aux apparences..., conclut-elle avec l'un de ses charmants sourires.

— Encore une fois, qu'est-ce qui vous permet de vous montrer si sûre de ce que vous avancez? Nous avons fait appel à toutes nos connaissances pour découvrir qui se cachait derrière cette prétendue société, et aucune de ces démarches n'a porté ses fruits. Auriez-vous réussi là où nous avons échoué? Sur quelle information vous fondez-vous pour afficher une telle assurance?

— Aucune.

En proie à une colère totalement irrationnelle, Stefano serra les poings.

— Dans ce cas, pourquoi semblez-vous persuadée de mon innocence?

— Cela coule de source, voyons, répliqua-t-elle avec un calme qui l'étonna. Pour quel motif auriez-vous escroqué les Bennett, alors que vous vous étiez engagé pour les aider? En outre, vos fiançailles avec la fille de la famille étaient bien antérieures à l'époque où ce marché a été conclu. Ce qui signifie que vous ne vous êtes pas fiancé avec elle pour acheter son silence. Qui plus est, vous n'avez pas de difficultés financières. Vous n'aviez aucun besoin de les voler. Non que les gens volent toujours par nécessité, d'ailleurs... Mais bref, si j'examine tous les éléments qui sont en ma possession, rien ne pouvait vous pousser à agir ainsi.

— Ces informations, vous les tenez de votre détective privé?

— Certaines d'entre elles.

— Et d'après son analyse, je serais innocent?

— Cette analyse est la mienne. Le détective, au contraire, a tiré de cette affaire les mêmes conclusions stupides que tout un chacun.

Elle grimaça et ajouta :

— J'ai bien peur que cet homme soit dénué de tout esprit logique.

Stefano fronça les sourcils.

— Une petite seconde ! Quelque chose m'échappe... Si j'ai bien compris, vous seriez convaincue de mon innocence alors que nous ne nous connaissons pas et que tout le monde me juge coupable — même votre détective privé !

— Tout juste ! répliqua-t-elle, avec un sourire plus radieux encore que les précédents.

— M'est avis que vous ne saisissez pas bien toute l'ampleur de cette affaire. Personne ne croit en moi. Personne, excepté ma famille. Tous les autres se sont écartés de moi. Aussi bien mes amis les plus proches que les gens avec lesquels je travaillais depuis des années. Ma fiancée elle-même m'a quitté... Personne ne croit en moi !

— Moi, si.

Stupéfait, il la dévisagea, et fut bien forcé de constater que l'expression de son visage ne reflétait que sincérité. Son regard lumineux soutenait le sien, l'obligeant à accepter la vérité. Elle avait bel et bien confiance en lui !

— Vous ne plaisantez donc pas..., articula-t-il, sidéré.

— Du tout. Et si vous acceptez de m'épouser, j'espère bien avoir l'occasion de vous le prouver.

— Comment ?

Ce fut au tour de la jeune femme de froncer les sourcils.

— Pour ne rien vous cacher, je ne sais pas trop encore. Je pensais que nous pourrions en discuter ensemble une autre fois, quand nous nous reverrons. Bien sûr, ce mariage vous aiderait à redresser la situation. Libre à vous de me croire ou pas, mais les gens me font confiance.

— Et pourquoi ?

Pénélope haussa les épaules avec modestie.

— Parce qu'en général j'ai un jugement plutôt fiable.

— Supposons que vous vous mépreniez sur mon compte.

Stefano ignorait ce qui l'avait incité à poser cette question. Il savait seulement qu'il voulait connaître la réponse.

— Supposons que je sois bel et bien un escroc, insistat-il. Après tout, ce n'est pas parce que vous n'avez pas réussi à le prouver que cela est faux...

La jeune femme salua ses propos de son rire étonnant, incongru, qui résonna très agréablement aux oreilles de Stefano.

— Je passerais sans doute pour une parfaite idiote aux yeux de tout un chacun, n'est-ce pas? Mais ça me surprendrait que cela se produise. J'ai un certain talent pour analyser une situation et en tirer les déductions logiques qui s'imposent.

— Très impressionnant! lança-t-il sèchement.

Elle lui sourit.

— Mais cela ne vous impressionne pas du tout...

— Exact. Cette histoire est insensée.

— Je reconnais vous avoir pris par surprise, déclarat-elle avec un regard empreint de sympathie. Je n'avais cependant pas le choix. Je tiens à ce que ma proposition reste dans le secret absolu.

Stefano plissa les yeux.

— Vous ne m'avez toujours pas dit pourquoi vous voulez diriger Crabe.

Pour la première fois depuis qu'elle était entrée dans son bureau, elle arbora une expression tendue et fermée.

— Désolée, mais à ce stade de notre relation il m'est impossible de vous répondre.

— Tiens, tiens... Curieux, mais ça ne me surprend pas!

Comme elle penchait la tête de côté, un rayon de soleil balaya ses cheveux châtain clair, y accrochant une myriade de reflets dorés.

— Dois-je interpréter votre désapprobation apparente comme un refus?

— Un refus de quoi? lança-t-il, incapable de cacher son agacement.

24

— De m'épouser.

— Evidemment! Les Salvatore ne se marient que par...

— ... amour? suggéra-t-elle d'une voix douce.

L'intervention de Pénélope lui valut un rire dénué de gaieté.

— L'amour! répéta-t-il, caustique. Voilà bien un mythe auquel je ne crois plus.

— Dans ce cas, à mon tour de vous dire que je ne comprends pas où est le problème.

Stefano serra les poings, s'efforçant de contrôler la colère qui montait en lui.

— L'expérience que je viens tout juste de vivre ne m'incite pas à retenter ma chance! rétorqua-t-il, glacial.

— Il ne s'agirait pas d'une union définitive, vous l'avez bien compris, n'est-ce pas?

— Et alors? Est-ce que je devrais la trouver plus attirante pour autant? Après des fiançailles ratées, un mariage raté! Voilà qui devrait combler de joie ma famille, et ne manquera pas d'impressionner très favorablement tous les gens avec lesquels j'ai des relations professionnelles!

— Mon Dieu! J'avoue que je n'avais pas pensé à cela... Je cerne mieux maintenant votre problème.

— Parfait. Eh bien, il ne me reste plus qu'à vous souhaiter de trouver rapidement un mari. Et quand ce sera fait, rendez-moi donc une petite visite amicale. Je serai enchanté de vous débarrasser de Janus Corporation.

— Supposons que mon mari veuille Janus en échange de notre mariage?

— Ce serait possible?

La jeune femme hésita, puis se mordit la lèvre inférieure.

— Je ne vous l'ai donc pas dit?...

— Dit quoi? lança-t-il, non sans impatience.

— Que mon prochain nom sur la liste est celui de votre concurrent le plus sérieux.

2.

Stefano réprima un gémissement. Bon sang !...

— Vous ne faites tout de même pas allusion à Cornell ?

— Si, justement. En supposant que le Cornell dont vous parlez soit bien Robert Cornell, de Cornell Industries International.

De toute évidence, Pénélope Wentworth n'avait pas pour habitude de mâcher ses mots.

— Au cas où vous ne le sauriez pas, je vous signale qu'il est lui aussi célibataire.

Grinçant des dents, Stefano secoua la tête.

— Je l'ignorais en effet.

— Vous constaterez que je me suis adressée à vous en premier...

— Je suis tout à fait conscient de ma chance, railla-t-il.

— Si vous possédiez Janus Corporation, vos intérêts seraient majoritaires sur la côte Ouest. Votre compagnie d'import-export ne craindrait aucune concurrence. Mais j'imagine que je ne vous apprends rien...

— Exact. Permettez-moi de vous signaler, au passage, que Salvatore représente un tout petit peu plus que l'import-export.

Elle hocha la tête d'un geste vif.

— Je sais bien que vous êtes spécialisé dans l'achat et

26

l'entretien de marchandises du secteur tertiaire. Comme je crois vous l'avoir déjà dit, j'ai pris quelques renseignements sur vous, et par là même sur votre société. Mais, ne nous écartons pas du sujet. Pour en revenir à Cornell, je suppose qu'il serait très intéressé par l'acquisition de Janus. Ce sera donc vous ou lui. Et en supposant que ce soit lui...

La jeune femme haussa les épaules.

— Je ne crois pas qu'il soit nécessaire de vous faire un dessin !

— Exact. J'ai très bien compris que vos agissements auraient de sévères conséquences sur l'entreprise Salvatore.

— Je me disais bien que cela vous aiderait à prendre une décision.

Son sourire se fit espiègle tandis qu'elle ajoutait :

— Entre deux maux il faut choisir le moindre, n'est-ce pas ?...

En dépit des circonstances, qu'il jugeait pour le moins fâcheuses, Stefano manqua éclater de rire.

— Voilà qui résume assez bien la situation !

Le rire déroutant de la jeune femme retentit de nouveau.

— Permettez-moi de vous donner quelques derniers détails, reprit-elle. Je ne vous infligerai pas très longtemps ma présence, promis. Et je n'attendrai pas non plus de vous que vous soyez un mari parfait. Pas plus que je n'envisage d'abuser de votre temps quand nous serons mariés, pour quelque raison que ce soit. Est-ce que cela vous facilite les choses ?

— Et si je décidais d'exercer mes droits conjugaux ?

A son grand étonnement, Pénélope lui répondit sans hésiter une seule seconde.

— Libre à vous de choisir le type de relation qui vous conviendra le mieux. J'ai un but à atteindre. Si je dois pour cela en passer par quelques sacrifices, pourquoi pas ?

— Quelle grandeur d'âme !

Sensible au ton sec sur lequel il s'était exprimé, elle hocha vivement la tête. Stefano avait assisté à bien assez de réunions professionnelles pour comprendre que leurs négociations venaient de s'achever. Cette décision, il la lisait dans le regard doré posé sur lui, ainsi que dans l'attitude résolue de l'harmonieuse silhouette féminine. Il ne connaissait Mlle Pénélope Wentworth que depuis quelques minutes, mais tout en elle dénotait une farouche détermination. De toute évidence, quand elle avait une idée en tête elle n'en démordait pas facilement.

Elle avança vers lui, la main tendue. Sa poignée de main, aussi ferme que celle d'un homme, ne fit que confirmer ses soupçons.

— Au cas où vous changeriez d'avis, faites-le-moi savoir dans les vingt-quatre heures. J'espère obtenir un rendez-vous avec M. Cornell demain midi.

— Vous ne plaisantez donc pas ? Vous êtes prête à épouser un homme qui est pour vous un parfait inconnu et à vous débarrasser de l'une de vos compagnies afin de prendre entièrement possession de votre héritage ?

— En effet, je ne plaisante pas le moins du monde.

— Et rien ne pourrait vous inciter à vendre Janus Corporation ?

— Rien, excepté le mariage, répliqua-t-elle, une pointe de regret dans la voix. De toute façon, je ne suis pas en mesure de vendre, puisque la firme est sous le contrôle de mon oncle.

Sur ces mots, elle traversa la pièce et sortit sans un regard en arrière.

Dès qu'elle eut disparu, Stefano se précipita vers son téléphone et pianota sur les touches.

— Salvatore Stefano à l'appareil. J'ai un boulot pour vous.

Les sourcils froncés, il fixa la porte qui s'était refermée quelques secondes auparavant.

— Procurez-vous toutes les informations possibles sur une dénommée Pénélope Wentworth. Et que ça ne traîne pas !

Sans attendre de réponse, il reposa vivement le combiné et se dirigea vers la grande baie vitrée. S'il ne se trompait pas, le siège de Crabe & Associés se trouvait juste en face de l'immeuble des Salvatore. Le bureau de Pénélope était sans doute situé au dernier étage. Stefano était même prêt à parier que, comme le sien, il occupait un angle de l'édifice. Les yeux plissés, il examina toutes les fenêtres du bâtiment. Comme il s'en doutait, il ne distingua aucun signe susceptible de rassasier sa curiosité.

Mais cette curiosité serait bientôt satisfaite grâce aux services du détective privé de l'entreprise, qu'il venait de joindre. Car, la prochaine fois qu'il serait confronté à Pénélope Wentworth, il souhaitait tout savoir à son sujet. Absolument tout. Et il ignorait encore comment il s'y prendrait, mais il mettrait tout en œuvre pour qu'elle n'épouse pas Robert Cornell. Il y veillerait personnellement. Cette demoiselle ne le déstabiliserait pas en offrant Janus Corporation à leur rival !

La sonnerie de son téléphone portable retentit au moment même où Pénélope le remettait en marche. Elle sortait tout juste de l'immeuble des Salvatore et traversait la rue pour rejoindre son propre bureau. Si elle avait dû prendre sa voiture, elle aurait laissé l'appareil en veille. Depuis l'accident bénin qui lui avait toutefois valu deux jours d'hospitalisation, la jeune femme ne s'était plus jamais servi de son portable quand elle conduisait.

Il ne lui fallut pas plus de quelques minutes pour arriver dans l'enceinte de son bureau.

— Je ne veux pas être dérangée pendant les dix minutes qui suivent, dit-elle à sa secrétaire personnelle.

— Mais, mademoiselle Wentworth...

— S'il vous plaît, Cindy. J'ai besoin de dix minutes de

tranquillité. Ensuite je m'occuperai de tous les problèmes urgents qui ont pu surgir durant mon absence.

Et elle s'empressa d'entrer dans son bureau, dont elle referma la porte d'un geste ferme. Là, assise à son imposante table de travail métallique, elle s'efforça de concentrer toute son attention sur les dossiers en cours. Cela l'aiderait peut-être à chasser de son esprit les images trop vivaces de Stefano Salvatore. Mais ses diverses tentatives se révélèrent vaines, et elle lâcha un long soupir. C'était là un des aspects de son plan qu'elle avait omis de prendre en considération.

Elle avait imaginé qu'ils aborderaient posément le sujet, et finiraient par trouver un terrain d'entente — comme cela se produisait souvent dans le milieu des affaires. Les sensations qu'avait suscitées en elle celui qu'elle avait choisi pour époux n'avaient cependant rien de « posées »... Dès qu'elle avait vu Stefano, elle avait eu le plus grand mal à concentrer son attention sur l'aspect professionnel de cet entretien. Même la poignée de main qu'ils avaient échangée juste avant qu'elle ne parte l'avait ébranlée. Elle s'était donc empressée de quitter les lieux, craignant de perdre toute trace de ce bon sens que son oncle avait instillé en elle tout au long de ces seize dernières années.

En proie à un terrible sentiment de frustration, Pénélope ferma les yeux. Comment ce diable d'homme avait-il donc réussi à la distraire du sacro-saint univers des affaires ?

Evidemment, son physique n'était pas étranger à ce phénomène. Elle ne s'attendait pas à se trouver face à un homme aussi attirant, en dépit des photographies que lui avait fournies son détective privé. Et le rapport détaillé qu'il lui avait remis ne l'avait pas non plus préparée à une personnalité aussi forte. Mais peut-être était-ce cette combinaison qui lui faisait un tel effet ? A moins qu'elle n'ait simplement été plus troublée qu'elle ne l'avait imaginé par tout ce qu'elle avait entendu au sujet de Stefano

Salvatore. La conversation surprise entre ces jeunes femmes, à la terrasse du café, par exemple...

Quoi qu'il en soit, le résultat de cet entretien n'en restait pas moins dévastateur !

Pénélope se leva, et, d'instinct, se dirigea vers la fenêtre. Elle tendit la main pour écarter les voilages qui lui cachaient la vue. Son regard fut aussitôt attiré par l'immeuble situé juste en face d'elle, et elle essaya de repérer l'emplacement du bureau où elle se trouvait quelques minutes à peine auparavant. Un bureau bien plus agréable que le sien, observa-t-elle avec un froncement de sourcils. A présent, cette pièce dans laquelle elle passait tant de temps lui semblait fonctionnelle, rien de plus. Triste, même. Pas la moindre photo, le moindre objet personnel. Quant aux meubles, ils étaient carrés, pratiques, dans des couleurs ternes.

La jeune femme grimaça. Ces tons gris, c'était pourtant elle qui les avait choisis. Ils lui avaient paru tout à fait adaptés à un lieu de travail. Or, un lieu de travail devait donner une impression de sérieux. C'était du moins ce qu'elle pensait il n'y avait pas si longtemps encore. Mais maintenant...

Un coup timide retentit à la porte.

— Mademoiselle Wentworth ?...

La tête de Cindy apparut dans l'embrasure.

— Vous n'avez pas oublié le conseil d'administration, n'est-ce pas ? On n'attend plus que vous...

Pénélope se tourna de nouveau vers la fenêtre. Voilà ! Le bureau de Stefano Salvatore était celui qui occupait un angle de l'immeuble. Juste en face du sien. « Quelle ironie ! » songea-t-elle en réprimant le soupir qui lui montait aux lèvres. Et quel dommage, aussi. Bizarrement, elle aurait aimé se marier avec lui. Même si leur relation n'était appelée à durer que quelques mois et à ne pas dépasser le cadre strict qu'elle avait elle-même fixé.

— Mademoiselle Wentworth ?...

— Merci, Cindy, répondit-elle d'un ton absent. Laissez-moi le temps de récupérer mes notes et j'arrive.

— Je les ai, déclara la secrétaire. Et j'ai aussi votre emploi du temps pour l'après-midi, ainsi que les messages téléphoniques les plus importants que vous avez reçus. J'ai préparé quelques réponses. Si elles vous conviennent, je...

Sur le point de quitter son bureau, Pénélope marqua une pause.

— Pourquoi est-ce toujours vous qui rédigez les réponses destinées aux gens qui cherchent à me joindre ?

Cindy lui adressa un regard stupéfait.

— Mais... parce que vous n'en avez pas le temps, mademoiselle Wentworth.

— Vous avez raison, murmura la jeune femme en franchissant la faible distance qui la séparait de la salle de réunion. Je n'en ai pas le temps.

Pas plus qu'elle n'avait le temps de rêver à un certain homme d'affaires séduisant en diable, dont les propos, souvent caustiques, étaient teintés d'une exquise pointe d'accent italien. Un homme qui avait l'audace de l'appeler Nellie ! Personne ne l'avait appelée ainsi. Jamais.

Personne n'avait non plus prononcé son nom avec des inflexions aussi chaleureuses dans la voix.

— Comme vous n'aurez pas l'occasion de rentrer chez vous ce soir avant le bal de bienfaisance, je me suis arrangée pour que votre employée de maison apporte au bureau votre tenue et vos accessoires, reprit Cindy.

Pénélope acquiesça d'un geste distrait de la tête. Responsabilités. Devoir. Ethique professionnelle. Ces mots, que de fois on les lui avait répétés depuis l'âge de dix ans, alors qu'elle s'efforçait d'assumer la mort de ses parents ?

— Merci, Cindy. Je vous suis très reconnaissante de veiller à tout cela.

Le visage de la secrétaire se fendit d'un sourire.

— Et pourquoi donc me paieriez-vous, si ce n'est pour m'occuper de tous ces détails fastidieux afin que vous puissiez concentrer toute votre attention sur votre travail ?

32

— Bonsoir, Nellie. Comme le monde est petit, n'est-ce pas ?

Pénélope se retourna d'un mouvement vif et se trouva nez à nez avec Stefano, qui souriait, apparemment ravi de la surprendre. Au souvenir de la scène qui s'était déroulée un peu plus tôt ce jour-là dans le bureau de l'homme qui se tenait en face d'elle, elle se sentit mal à l'aise mais fut prompte à se maîtriser.

Après avoir remonté ses lunettes sur son nez, elle posa sur lui ses grands yeux dorés, dans lesquels il crut déceler une pointe d'appréhension. De l'appréhension ? Il ferait en sorte de deviner quel en était le motif.

— Monsieur Salvatore ! s'exclama-t-elle avec assurance. Quelle surprise !

— Stefano, rectifia-t-il sans la quitter du regard. Ce qui est surtout surprenant, c'est que nous ne nous soyons jamais rencontrés jusqu'ici. Je connais la plupart des gens réunis ici, et je suppose que vous aussi.

Pénélope hocha la tête. Elle avait libéré ses cheveux pour la circonstance, et des mèches châtain cendré balayèrent ses épaules nues.

Du menton, Stefano désigna la blonde pétillante qui se trouvait à l'autre extrémité de la pièce.

— Babe Fontaine et son tout nouveau mari, par exemple ?

— En effet. Je connais bien Reggie aussi, le « tout nouveau mari », pour avoir traité quelques affaires avec lui. Et je connais également Sami, la fille de Babe, qui s'est elle aussi mariée il y a peu.

— J'étais à l'étranger à ce moment-là, et je n'ai donc pas pu assister au mariage.

— Son mari, Noah, vous plairait sans doute. D'ailleurs, en y réfléchissant bien, vous avez pas mal de points communs tous les deux.

— Ah ? fit-il, intéressé. Lesquels ?

33

La réponse de la jeune femme fut immédiate.

— Vous êtes tous les deux pugnaces, durs, résolus, forts.

Ces propos lui valurent un sourire amusé de Stefano.

— C'est là ce que vous pensez de moi, après une seule rencontre ?

— Oui.

Le sourire de Stefano se figea sur ses lèvres.

— Fut un temps où on me trouvait charmant, accommodant. Drôle, même.

Elle le dévisagea, et le mot ensorceleur lui vint à l'esprit.

— Je vous imagine bien jouer ce genre de rôle, mais ça ne correspond pas à votre véritable personnalité.

— Et comment pouvez-vous affirmer une chose pareille ?

Pénélope haussa les épaules et détourna le regard.

— Aucune importance.

— Intuition féminine ? insista-t-il néanmoins.

Comme elle refusait de répondre, Stefano se pencha en avant. De délicates senteurs de jasmin montèrent alors jusqu'à lui, et ce parfum féminin mit ses sens en éveil. Ce parfum, elle ne le portait pas un peu plus tôt, lorsqu'elle lui avait rendu visite. Et il considérait que c'était aussi bien, vu l'effet qu'il produisait sur lui.

— A moins que la femme d'affaires accomplie que vous êtes ne s'octroie pas le droit de se fier à son instinct ? Cela va peut-être à l'encontre de cette logique à laquelle vous semblez si attachée ?...

Il avait vu juste. Décontenancée, Pénélope cligna des paupières et recula d'un pas, faisant bruisser sa robe de taffetas.

— Je croyais que les hommes s'intéressaient aux faits concrets et aux chiffres, pas à l'intuition féminine...

— C'est ce que vous a appris votre oncle ?

— Non. C'est une leçon que je tiens de la vie. La logique l'emporte toujours !

34

Puis elle redressa la tête et le fixa.

— Que faites-vous là, monsieur Salvatore?

— Je suis ici pour les mêmes raisons que vous, lui répondit-il avec un petit sourire.

— Vous voulez dire... pour participer à ce bal de bienfaisance?

— Absolument. Quel autre motif aurait pu m'inciter à venir?

— Aucun. Aucun, bien sûr...

Stefano remarqua qu'elle paraissait gênée, et comprit aussitôt que Pénélope Wentworth ne s'était pas déplacée dans le seul but d'honorer cette soirée de sa présence. Il embrassa du regard la grande salle bondée. Cornell était là, quelque part. Stefano en était sûr et certain. Et la délicieuse demoiselle qui se tenait en ce moment même en face de lui espérait sans doute obtenir de lui un rendez-vous. Comme cette pensée lui traversait l'esprit, il ressentit une bouffée de colère aussi intense que déplacée. Pourquoi réagissait-il ainsi? Elle ne le trompait pas. Elle n'était pas Kate. Ne l'avait-elle pas averti qu'après lui, elle s'adresserait au rival le plus sérieux des Salvatore? En outre, il n'avait aucune envie d'épouser la jeune femme. Il se bornait à briguer Janus Corporation.

— Vous m'avez bien dit que je disposais de vingt-quatre heures pour prendre une décision, n'est-ce pas, *cara*?

— Savez-vous que votre accent italien s'entend, quand vous êtes énervé?

— Je ne l'avais pas remarqué.

— Etes-vous né en Italie? insista-t-elle.

— Non, je suis né ici. Mais l'italien est la première langue que j'ai apprise. Nous parlons d'ailleurs souvent italien à la maison. C'est en italien que nous nous chamaillons, que nous exprimons nos émotions.

Il baissa la voix, jusqu'à ce qu'elle ne soit plus qu'une douce caresse, et ajouta:

— En italien aussi que je parle, quand je fais l'amour.

35

— Bien sûr, c'est tout naturel, déclara Pénélope avec un calme étonnant.

S'il n'avait remarqué un léger vacillement dans le regard de la jeune femme, Stefano aurait pensé que cet aveu la laissait de marbre.

Il se rapprocha d'elle, ne cherchant pas à maîtriser l'accent qui le trahissait.

— La plupart de mes concurrents en affaires considèrent cela comme un avertissement. Vous devriez peut-être faire de même... Encore une fois, mademoiselle Wentworth, vous m'avez dit que je disposais de vingt-quatre heures.

Elle ne prétendit pas ne pas saisir le sens de ces propos.

— En effet. Et j'ai coutume de tenir parole.

— Mais vous envisagez quand même de voir Cornell ce soir, n'est-ce pas ?

— J'espérais réussir à obtenir un rendez-vous.

Elle était parfaitement en droit de gérer cette affaire comme elle l'entendait. N'avait-il pas décliné sa proposition, un peu plus tôt ? Dans ce cas, pourquoi affichait-il une attitude aussi possessive ?

Stefano se sentait incapable de répondre à cette question. Il ne pouvait que se borner à constater que cela le contrariait au plus haut point. Parce qu'il ne supportait pas l'idée que Cornell fasse main basse sur Janus Corporation, voilà tout ! Mais si tel était le cas, pourquoi la désagréable image de Pénélope dans les bras de Cornell s'était-elle insinuée dans son esprit ? Imaginer Cornell en train de la déshabiller, de couvrir son corps de baisers, lui était tout bonnement insupportable.

— Si vous connaissiez Cornell, vous l'éviteriez ! déclara-t-il, incapable de se contrôler.

Pénélope haussa les épaules.

— Le détective privé auquel je me suis adressée m'a remis un rapport détaillé sur lui aussi, Stefano.

Un sourire railleur se dessina sur ses lèvres tandis qu'elle ajoutait :

36

— Et pour ne rien vous cacher, c'était vous qu'il considérait comme l'élément le plus menaçant.

— Dans ce cas, je dois en déduire que vous avez engagé un crétin! Ou encore, que Cornell a eu vent de vos recherches, et s'est arrangé pour offrir de lui une image édulcorée. Mais je peux vous certifier que ce n'est pas un type avec lequel on plaisante.

— Et vous l'êtes, vous?...

Stefano serra les lèvres. Si seulement il lui avait été possible de fournir à la jeune femme toutes les informations qu'il possédait sur Cornell, afin qu'elle ait une vision objective de l'homme qu'elle s'apprêtait à demander en mariage... Mais cela lui prendrait des heures. Et il faudrait ensuite qu'elle consente à se fier à son instinct, ce qui, de toute évidence, n'était pas dans ses habitudes.

— Non, admit-il. Je ne crois pas être moi-même un saint. Mais je ne vous ferais sciemment aucun mal. Je ne peux pas en dire autant de Cornell.

Une lueur d'amusement étincela dans les yeux dorés.

— J'ai bien peur de ne pas avoir été très claire en ce qui concerne ma position à l'égard de ce mariage. Je n'envisage pas de m'y donner corps et âme, voyez-vous... Comme je crois vous l'avoir déjà expliqué, ce ne serait qu'une mesure temporaire. Une relation platonique, sans aucun engagement de part et d'autre, précisa-t-elle sans le quitter du regard.

Stefano posa les mains sur les épaules de Pénélope. Il sentit les muscles de la jeune femme se contracter sous ses paumes. Il l'attira alors contre lui et inclina la tête au-dessus d'elle, jusqu'à ce que leurs lèvres se touchent presque.

— Ecoutez-moi, Nellie, et écoutez-moi bien. Avec Cornell, vous n'aurez pas le choix. Il prend ce qu'il veut, et s'en débarrasse quand ça ne l'intéresse plus. Quoi qu'il puisse vous promettre, je suis prêt à parier qu'il décidera que vous faites vous-même partie du marché.

Elle lâcha son souffle, qu'elle retenait depuis qu'il l'avait prise dans ses bras.

— Moi ?..., murmura-t-elle. Que voulez-vous dire, au juste ?

— Allons, faites un peu travailler votre imagination !

Apparemment elle n'en manquait pas, en dépit de son goût affirmé pour la logique.

— Vous m'avez l'air bien sûr de ce que vous avancez, rétorqua-t-elle d'un ton pincé.

— Je le suis, en effet. Si vous lui dites que vous voulez un mariage blanc, vous attiserez ses instincts de chasseur et il mettra tout en œuvre pour arriver à ses fins. Si vous ne lui dites rien, il vous fera quand même sienne pour que vous portiez son sceau. Et lorsque vous cesserez d'être pour lui une nouveauté, il se défera de vous selon les conditions qui lui conviendront le mieux, et d'une façon qui ne manquera pas de vous humilier.

Pénélope s'écarta de lui, et il ne tenta pas de la retenir.

— Vous mentez ! Pour que je ne l'approche pas.

— Vous avez raison. Tout ce que je vous dis, c'est pour que vous n'approchiez pas Cornell. Mais je ne mens pas.

— Et comment sauriez-vous tout cela ?

— Je n'ai aucune envie de discuter de ce sujet. Libre à vous de me croire ou pas. Je me borne à vous mettre en garde. Si vous vous adressez à Cornell, vous le regretterez.

— Vous ne comprenez donc pas que je n'ai pas le choix ?

— Bien sûr que si.

Comment une femme aussi intelligente pouvait-elle se montrer si obtuse ?

— Il vous reste quand même une option non négligeable : trouver un homme que vous pourrez aimer. Vous en tenir au bon vieux mariage traditionnel. Ni plus ni moins !

— Cela ne fonctionnerait pas. Tous les hommes que je connais veulent épouser Pénélope Wentworth.

Stefano la dévisagea, étonné.

— Et ?...

Elle le fixait, une lueur de défi dans le regard. Nulle trace en elle de la femme rationnelle et résolue qui avait imposé sa présence dans son bureau. Celle-ci avait cédé la place à une créature enflammée, qui ne cherchait plus à contrôler ses émotions. Une créature plus désirable qu'il ne l'aurait jamais imaginé.

— C'est la riche héritière que je suis qu'ils veulent épouser ! lança-t-elle d'une voix vibrante.

— Je vois. Ils veulent épouser Pénélope, pas Nellie.

Elle avala sa salive, puis finit par acquiescer.

Stefano se garda de tout commentaire. Admettre qu'il préférait Nellie à Pénélope aurait donné de faux espoirs à la jeune femme. Or il n'avait pas plus l'intention de se marier avec elle qu'avec quiconque.

— Ne faites pas cela, *cara*. N'allez pas trouver Cornell.

Il pensait avoir réussi à la convaincre, mais à ce moment-là, elle secoua la tête.

— Il faut que je me marie. Et le plus tôt sera le mieux.

Sur ce, elle tourna les talons et se fondit dans la foule.

Pénélope traversa la grande salle d'un pas ferme, comme si elle avait une destination bien précise en tête, ce qui n'était pas le cas. Elle cherchait seulement à mettre le plus de distance possible entre Stefano et elle. Elle l'avait définitivement rayé de sa liste de « prétendants ». Un très mauvais choix ! Stefano Salvatore aimait trop diriger. Il était en outre trop exigeant, et trop perspicace. Elle frissonna. Trop passionnément italien aussi. Ce serait absurde de se lancer avec lui dans cette aventure.

Si seulement elle ne le trouvait pas si attirant...

— Pénélope ?

Elle se retourna, et constata que son oncle se tenait juste derrière elle.

— Je te cherchais, dit-il.

Comme son oncle la fixait d'un air étonné, elle en déduisit qu'elle n'arborait pas son expression habituelle et s'empressa d'y remédier.

— Désolée, déclara-t-elle en le prenant par le bras. J'avais des gens à voir.

— Tu ne laisses jamais passer une occasion de poser des jalons, n'est-ce pas ? fit Loren d'une voix affectueuse.

Elle lui sourit.

— C'est ce que m'a appris à faire l'un des plus brillants hommes d'affaires que je connaisse.

Pénélope remarqua que ces propos remplissaient son oncle de fierté.

— Qui était ce garçon avec lequel tu parlais, il y a quelques minutes à peine ? Un client potentiel ?

— Il s'appelle Stefano Salvatore. Nous nous sommes rencontrés il y a peu.

Pénélope étant d'un naturel foncièrement honnête, elle ajouta :

— Et il n'est pas un client potentiel.

— Ah ! Un ami, plutôt ? Votre échange de propos avait l'air... assez animé. Un problème ?

— Nous discutions de Janus Corporation.

Loren hocha la tête, et parut soudain un peu plus détendu.

— Voilà donc pourquoi ce nom m'est familier. Les Salvatore ont manifesté à plusieurs reprises leur désir d'acquérir Janus. Il me semble aussi que l'un d'entre eux a récemment été mêlé à un scandale. Je me trompe ?

— Ces rumeurs n'étaient pas fondées, répondit-elle avec assurance. Un malheureux malentendu. J'envisage d'ailleurs d'intervenir pour rétablir la vérité, si tu n'y vois aucun inconvénient.

— Cela ne te concerne pas, Pénélope.

— Certes. Mais cette affaire ne m'intéresse pas moins pour autant.

La jeune femme s'était exprimée d'un ton ferme qui arracha un profond soupir à Loren.

— A quoi bon solliciter mon avis, puisque ta décision est prise? Tu as toujours eu un regrettable penchant pour les faibles et les opprimés.

— Stefano n'a rien d'un faible ni d'un opprimé! Je le sais tout à fait capable de résoudre seul ce problème, à un moment ou à un autre. J'aimerais simplement accélérer le processus.

Puis elle lâcha le bras de son oncle.

— Que sais-tu au juste au sujet des Salvatore? Est-ce qu'ils ont la réputation d'être droits en affaires?

— Je ne garde pas le souvenir d'avoir entendu le moindre commentaire à leur sujet dénonçant des pratiques peu louables. Les Salvatore ont toujours joui d'une excellente réputation. Pourquoi?

Elle fronça le nez.

— C'est l'impression que j'ai moi aussi. Je tenais toutefois à avoir ton avis sur la question, car je sais que ton jugement est toujours fiable dans ce domaine. Et qu'en est-il de Robert Cornell? L'as-tu déjà rencontré?

Loren hésita.

— Oui, répondit-il enfin.

— Alors?

— Ma foi... je dirais de lui que c'est un homme d'affaires très astucieux.

— Et sur un plan plus personnel?

Loren fronça les sourcils.

— Pourquoi Salvatore et Cornell éveillent-ils soudain ta curiosité? S'agit-il d'un intérêt professionnel, ou personnel?

— Les deux. Fais-moi plaisir, oncle Loren. Essaie de te montrer objectif et dis-moi lequel de ces deux hommes est, selon toi, le plus digne de confiance.

— Salvatore.

— C'est bien ce que je craignais..., murmura la jeune femme.

Pénélope se retourna, et son regard fut aussitôt attiré par Stefano, qui parlait avec une superbe rousse. Elle ressentit une pointe d'envie lorsqu'il adressa à celle-ci un sourire radieux.

En général, la jeune femme se fiait autant à l'instinct de son oncle qu'à sa propre aptitude à jauger une situation, avec cette logique qui lui était coutumière. Bien que — en apparence, du moins — Cornell paraisse plus fiable que Stefano, certains éléments ne cadraient pas. Peut-être parce que toutes les informations qu'elle avait recueillies sur Robert Cornell lui semblaient trop parfaites. Or Pénélope n'avait jamais cru en la perfection. Pour la bonne et simple raison qu'elle n'existait pas.

Cela ajouté aux avertissements de Stefano...

Il ne lui fallut pas longtemps pour évaluer ses options. Elle donnerait une dernière chance à M. Salvatore. S'il déclinait cette fois encore sa proposition, elle s'adresserait à Cornell, et le jugerait par elle-même.

Pénélope redressa la tête, et, d'une démarche décidée, se dirigea vers Stefano. Dès qu'elle l'eut rejoint, elle le prit par le bras. Il lui fallut beaucoup de courage pour sourire à la ravissante rousse, sans lâcher l'homme qu'elle avait choisi pour mari. Homme qui, en ce moment même la fixait, éberlué.

— Je pensais que nous pourrions poursuivre notre discussion, déclara-t-elle d'une voix chaude et sensuelle qui n'aurait pas manqué de surprendre ses collaborateurs.

Malheureusement, cette voix était le seul outil qu'elle possédât. Deux ou trois leçons de séduction lui auraient été bien plus utiles, dans ces circonstances, que tous les cours d'économie et de finances auxquels elle avait assisté. Mais c'était bien la première fois de sa vie qu'elle éprouvait le besoin de séduire une personne du sexe opposé.

— Aurais-tu oublié de me dire quelque chose, mon chéri?..., demanda la rousse à Stefano.

— Certainement pas, *amorata*. Je n'ai jamais vu cette jeune personne...

Pénélope en resta bouche bée.

— Jamais? Vous avez un toupet...

— Jamais, je le maintiens !

Elle le lâcha et, les poings sur les hanches, lui décocha un regard glacial.

— Je n'étais peut-être pas dans votre bureau, il y a quelques heures à peine, en train de vous demander en mariage ?

Il ouvrit grands les yeux, puis, souriant, se rapprocha de la jolie rousse.

— Je crois comprendre ce qui se passe, mon amour.

Ce n'était pas le cas de Pénélope, qui, en proie à une colère folle, le toisa.

— Très bien. Je vais de ce pas trouver Robert Cornell !

Comme elle tournait les talons, elle se heurta à un corps masculin, tout en muscles, qui lui barrait la voie. Elle releva la tête, et se trouva sous le feu de deux prunelles noires.

3.

Stefano lui posa une main ferme sur l'épaule, l'immobilisant.

— Tout va bien, *cara* ?

Pénélope avala sa salive.

— Stefano ? hasarda-t-elle d'une voix blanche.

— Lui-même. Permettez-moi de vous présenter mon frère jumeau, Marco, et son épouse Hannah.

La jeune femme eut l'impression que la terre s'ouvrait sous elle. Les joues écarlates, elle chuchota :

— Je... ne me sens pas d'humeur à faire des mondanités. Je préfère me réfugier dans un coin pour digérer l'impair que je viens de commettre !

Ignorant ces propos, Stefano poursuivit :

— Hannah, Marco, voici Pénélope Wentworth, propriétaire de Crabe & Associés.

— J'ai cru comprendre que Pénélope était ta nouvelle fiancée, déclara Hannah avec un sourire. Voilà qui devrait enchanter ton père !

— Elle n'est pas ma fiancée. Pas plus nouvelle que future !

— Ce n'est pourtant pas ce qu'elle nous a dit...

— Ça suffit, mon cœur, intervint Marco. Laissons-les régler leur différend en privé.

Il adressa un grand sourire à son frère avant d'ajouter :

— Nous le questionnerons plus tard. Pendant le prochain conseil d'administration des Salvatore, par exemple ! Cela nous évitera de répéter cette histoire une demi-douzaine de fois.

Pénélope sentit la main de Stefano se resserrer sur son épaule. Il lâcha alors une tirade en italien à son frère, et, face à l'expression d'Hannah, la jeune femme se félicita de ne pas en avoir compris un traître mot. Dès qu'il eut fini de parler, il la prit par le bras et la guida vers la terrasse. Les gens s'écartèrent pour les laisser passer. Les regards qui se posaient sur Stefano exprimaient la méfiance, le mépris, même. Au bras de Stefano, Pénélope suscitait, elle, la surprise générale.

Horrifiée par cette réaction unanime, elle se demanda si c'était là le traitement qu'il subissait quotidiennement. Elle redoutait que ce ne soit le cas. Dans de telles conditions, comment diable faisait-il pour supporter ces soirées où se réunissaient tous les gens bien-pensants de la ville ? Cela devait prendre pour lui l'allure d'une véritable torture !

Ils passèrent l'une des nombreuses portes-fenêtres qui donnaient sur une longue terrasse surplombant la baie de San Francisco. De cette perspective, le Golden Gate illuminé offrait un spectacle que Pénélope aurait trouvé magnifique en d'autres circonstances. Mais l'heure ne se prêtait pas à la contemplation. A son côté, Stefano avait les traits particulièrement tendus.

— Vous pouvez me lâcher maintenant, murmura-t-elle.

Il s'exécuta, mais elle ne se sentit pas plus sereine pour autant, ce qui ne manqua pas de l'affoler. Elle travaillait depuis toujours dans un univers essentiellement masculin, et jamais elle n'avait ressenti une attirance pareille pour aucun des hommes qui avaient croisé son chemin. Pourquoi fallait-il que cela lui arrive précisément avec Stefano ? Elle réprima un soupir. Voilà qui rendrait ce mariage — si mariage il y avait — d'autant plus pénible !

— Auriez-vous la gentillesse de m'expliquer ce que vous faisiez au juste, quand je me suis manifesté ? lança-t-il enfin.

— Je voulais vous donner une dernière chance avant de m'adresser à Cornell.

— En demandant mon frère en mariage ?

Elle leva les yeux au ciel.

— Ne dites pas de sottises, voyons ! Vous vous doutez bien que je l'ai pris pour vous.

— Tiens donc ! Qu'est-il donc advenu de ce pouvoir d'analyse dont vous vous targuez ?

Pénélope serra les mâchoires.

— Au cas où personne ne vous l'aurait dit, je vous signale que vous êtes identiques ! asséna-t-elle.

— Hannah ne nous a jamais confondus !

— Encore heureux, vu qu'elle est mariée à Marco !

— Elle nous a distingués l'un de l'autre dès le début. La première fois que je l'ai vue, elle a aussitôt su que je n'étais pas Marco.

— Eh bien, je ne puis que l'en féliciter ! rétorqua-t-elle sèchement... Nous nous sommes rencontrés une fois en tout et pour tout, Stefano Salvatore, et il faudrait que cela me suffise pour vous différencier de votre jumeau au premier coup d'œil ?

— Il y a quelques heures à peine, vous regardiez les photos que j'ai mises dans mon bureau. Vous avez bien remarqué que j'avais un frère jumeau, non ? Si vous aviez utilisé un peu de ce fameux esprit logique dont vous êtes si fière, cela vous aurait évité de commettre pareille bévue et d'afficher vos ridicules intentions à mon égard !

— Ah, voilà donc ce qui vous chagrine ! Que votre famille sache que je vous ai demandé en mariage.

— Tout juste !

Soulagée que ce soit là le motif de sa colère, elle haussa les épaules.

— Expliquez-leur qu'il s'agissait d'une proposition à caractère professionnel, et que vous l'avez déclinée.

— Si vous connaissiez ma famille, vous ne prendriez pas l'affaire à la légère. Faut-il que je vous rappelle que j'ai cinq frères ? Cinq frères qui ne lâcheront pas prise aussi facilement, croyez-moi !

46

La jeune femme balaya cette objection d'un geste de la main.

— Ils vous taquineront un peu, soit, mais j'imagine que c'est ce que font habituellement les frères. Dans la mesure où je n'en ai pas moi-même, je ne peux que me livrer à ce genre de supposition.

— J'ai l'habitude qu'on me taquine. Ça ne me dérange pas, d'ailleurs. Ce qui m'ennuie en revanche, c'est ce qui se passera quand le motif de cette demande en mariage se saura. A votre avis, comment réagira votre oncle lorsqu'il aura vent de votre stratagème ?

— Est-ce que cela fait partie des choses probables ? Votre famille...

— ... ma famille prendra un plaisir infini à discuter de cette histoire, c'est certain. En long, en large et en travers, même ! Or il n'est pas impossible que des secrétaires ou un quelconque visiteur captent certains commentaires. Ma famille ne répandra pas délibérément la nouvelle, mais je ne suis pas en mesure de vous assurer que ce « secret » ne passera pas nos murs.

Pénélope se mordit la lèvre.

— Oncle Loren serait peiné s'il apprenait mes projets matrimoniaux par tout autre que moi.

— Si vous voulez mon avis, « peiné » est un euphémisme ! Il serait sans doute tout bonnement furieux, et ferait tout ce qui est en son pouvoir pour vous empêcher de mettre ces projets à exécution.

En son for intérieur, Pénélope devait bien admettre que c'était très probable. Loren dirigeait ces entreprises depuis longtemps. Il s'en tirait fort bien, y prenait beaucoup de plaisir, et espérait sans doute continuer à exercer ce rôle pendant un certain nombre d'années. La jeune femme n'y aurait d'ailleurs vu aucun inconvénient, si...

— Vous ne comprenez pas, Stefano. Quand je serai mariée...

Cette fois encore, il lui coupa la parole.

— Quand vous serez mariée, vous vous retrouverez à

la tête d'un conseil d'administration mécontent. Je doute que vos principaux collaborateurs apprécient ou même comprennent votre brusque désir de prendre la direction des opérations. Mais cela vous est peut-être complètement égal ?

— Du tout. Crabe et Janus m'appartiennent, et je tiens donc à ce que tout s'y déroule pour le mieux.

— Dans ce cas, je vous conseille de ne rien changer. Vous m'avez dit vous-même que votre oncle gérait vos affaires à merveille. Eh bien, qu'il continue !

— Vous ne comprenez pas...

— En effet. Ecoutez, Nellie, j'ignore quelles sont exactement les relations que vous avez avec votre oncle, mais les Salvatore sont très soudés. J'imagine mal l'un de nous essayant de jouer un sale tour à un membre de la famille. Nous préservons en toutes circonstances l'intérêt collectif.

— Vous n'avez pas tous les éléments en main.

Il s'était accoudé à la rambarde de la terrasse, et se tourna vers elle, un étrange sourire aux lèvres.

— Et je suppose que les éléments en question influenceraient mon opinion ?

— Oui.

— Je suppose aussi que vous n'envisagez pas de me les fournir ?

— Pas plus que vous n'envisagez de m'exposer les motifs de votre animosité à l'égard de Robert Cornell.

— J'en déduis que vous n'avez pas renoncé à vous adresser à lui.

— Je n'ai pas le choix.

— Me permettez-vous de vous donner un conseil ?

Sans attendre de réponse, il reprit :

— Ne lui révélez pas de but en blanc l'objet de votre visite. Evitez de le demander en mariage dès que vous l'aurez en face de vous.

— Pourquoi ? lança-t-elle, une pointe de défi dans la voix.

— Essayez d'abord de vous forger une opinion sur lui. Vous voulez bien consentir à suivre ce conseil ?

Pénélope fronça le nez.

— Supposons que mon oncle ait vent de mon entretien avec lui ? Quel motif invoquerai-je ?

— C'est votre problème, ma chère ! Et supposons qu'il ait vent de notre entretien ? Ce serait encore pire, compte tenu de la réputation dont je jouis en ce moment !

Elle haussa les épaules.

— Comme je vous l'ai dit, je n'accorde aucun crédit aux rumeurs qui courent sur votre compte. De surcroît, votre réputation n'a aucun impact sur les décisions que je peux prendre ou pas. Mais j'aimerais savoir s'il vous sera possible d'empêcher Marco et Hannah de parler de... cet incident.

— Pendant un bref laps de temps.

— Cela devrait suffire.

L'heure de mettre un terme à cette conversation avait sonné. Si elle restait un peu plus longtemps aux côtés de Stefano Salvatore, elle risquait de faire une terrible bêtise. Le supplier de l'épouser, par exemple...

— Je vous dois des excuses, ajouta-t-elle. Pour vous avoir mis dans une situation gênante vis-à-vis de votre famille.

— Je m'en remettrai.

— Et je tiens aussi à vous remercier pour vos suggestions.

— Elles vous étaient offertes par la maison Salvatore !

Elle lui sourit et lui tendit la main.

— Eh bien... Encore merci pour tout.

Il prit sa main tendue et la garda serrée dans la sienne.

— Une dernière remarque, Nellie. Quelque chose ne cadre pas dans cette affaire. Je le sais. Vous le savez vous aussi, bien sûr. Et Cornell ne se laissera pas berner.

Le silence s'installa entre eux, et, comme Stefano se rapprochait d'elle sans la quitter du regard, elle retint son souffle.

— Vous allez m'embrasser, n'est-ce pas ? fit-elle, d'un ton qui se voulait désinvolte.

— L'idée m'a traversé l'esprit.

La réaction de la jeune femme fut immédiate. Un frisson la parcourut tout entière, tandis qu'elle passait la langue sur ses lèvres soudain sèches. Tous les sens en éveil, elle se surprit à attendre qu'il franchisse la distance qui les séparait, l'enlace... Aucun des hommes qu'elle avait connus ne l'avait troublée à ce point.

Au prix d'un effort, elle parvint à se maîtriser et esquissa un sourire en coin.

— Et que serait censé prouver ce baiser ? Que je vous trouve plus attirant que Cornell ? Faudra-t-il que je le laisse m'embrasser lui aussi afin de comparer vos mérites dans ce domaine ?

Stefano lui décocha un regard noir.

— J'aimerais autant que vous vous absteniez !

— Pourquoi, puisque vous ne voulez pas de moi ?

— Ne me prêtez pas des propos que je n'ai pas tenus. Ce que j'ai dit, c'est que je ne souhaitais pas vous épouser dans le seul but d'obtenir Janus Corporation.

En parlant, il lui avait posé les mains sur les épaules, et ce contact chaud la fit frémir. Du bout des doigts, il commença à tracer des sillons de feu sur sa peau nue. Les nerfs à vif, elle n'avait qu'une hâte : qu'il la prenne dans ses bras, l'embrasse, assouvisse cette soif qu'elle avait de lui.

— Alors ? insista-t-elle néanmoins d'un ton fier. Que prouverait ce baiser ?

— Regardez-moi, Nellie. Que ressentez-vous, en ce moment ? Vous avez envie que je vous embrasse, n'est-ce pas ? chuchota-t-il en accentuant la pression de ses mains, qui la caressaient toujours.

La jeune femme baissa la tête, puis la redressa.

— Oui, admit-elle, avec cette sincérité qui était déjà devenue familière à Stefano.

Mais il ne saisit pas l'occasion au bond, comme elle l'espérait.

— Voilà qui démontre bien que ce n'est pas seulement une alliance à visée professionnelle qui vous intéresse. Je serais même prêt à parier que c'est là le cadet de vos soucis !

— Et vous gagneriez ce pari, marmonna-t-elle d'une voix à peine audible.

— Vous cherchez autre chose, insista-t-il. Vous avez besoin d'autre chose. Et il serait ridicule de le nier.

Soudain en proie à la curiosité, elle le dévisagea.

— Est-ce ce qui vous est arrivé ? Avec votre ex-fiancée, je veux dire. Voilà donc pourquoi vous vous lancez dans une démonstration aussi enflammée ?...

— Bon sang ! s'exclama-t-il en levant les yeux au ciel. Il semblerait que vous soyez vraiment décidée à m'exaspérer !

Cette remarque provoqua le rire grave de Pénélope.

— Je ne le fais pas exprès, riposta-t-elle, amusée. Mon oncle considère cela comme un talent...

— Avez-vous pris la peine de m'écouter ?

— Attentivement, même. Mais depuis que vous avez déclaré que l'idée de m'embrasser vous avait effleuré l'esprit... j'avoue que j'attends que vous remplaciez les mots par des actes !

— C'est ce que j'avais cru deviner.

Il s'écarta alors d'elle, et elle éprouva un sentiment de déception dont l'intensité la surprit.

— Vous n'allez pas m'embrasser, n'est-ce pas ?

— Vous êtes une femme intelligente, Nellie.

Un bruit de pas retentit sur la terrasse, et elle se retourna en direction des portes-fenêtres. Bill Marks, l'organisateur de la soirée, se tenait à quelques mètres d'eux.

— Bonsoir Bill, lança Pénélope. Vous cherchez quelqu'un ?

Il hésita, puis acquiesça.

— En fait, oui. Je voudrais parler à M. Salvatore.

Stefano s'adressa alors à voix basse à la jeune femme.

— Il faut que vous nous laissiez, Nellie.

Elle regarda tour à tour les deux hommes.

— Pourquoi ?

— Je ne veux pas que vous soyez mêlée à cela.

Les sourcils froncés, elle se tourna vers Marks.

— Que se passe-t-il, Bill ?

— S'il vous plaît, mademoiselle Wentworth... Je préférerais m'entretenir en privé avec M. Salvatore.

— J'en suis convaincue, déclara-t-elle, les bras croisés. Mais il se trouve que je n'envisage pas de partir.

— N'intervenez pas dans cette affaire, fit Stefano d'un ton ferme. Ce problème est le mien, et j'envisage de le régler seul.

— Mais...

— J'imagine que Bill est venu me demander de quitter les lieux. Et je n'ai pas pour habitude de me cacher derrière les femmes, Pénélope. Pas plus que je ne leur permets de rester dans la ligne de mire quand quelqu'un pointe son fusil sur moi.

Pénélope. Elle était donc redevenue Pénélope !

Aussi frustrée que furieuse, elle reporta son attention sur Marks.

— M. Salvatore a-t-il raison, Bill ?

Derrière elle, elle entendit Stefano prononcer quelques mots en italien.

— J'en ai bien peur, mademoiselle Wentworth. En qualité d'organisateur de la soirée, je suis chargé d'y faire régner l'ordre. S'il ne tenait qu'à moi...

Il haussa les épaules avant de poursuivre :

— Mais ce n'est pas le cas. Et vu qu'il s'agit d'un bal de bienfaisance, nous ne pouvons pas nous permettre le moindre...

— ... écart de conduite ? finit-elle à sa place avec un sourire angélique.

— En effet.

— S'agit-il de tous les Salvatore, ou seulement de celui-ci ? insista-t-elle.

Bill Marks hésita une seconde. Assez pour qu'elle devine

la réponse. Stefano, qui était venu se placer à côté d'elle, l'avait lui aussi devinée.

— Qui se cache derrière cette manœuvre ?

— Personne. Tout le monde ! Je ne peux pas vous répondre, monsieur Salvatore. On m'a simplement demandé de gérer cette affaire.

— Qui vous l'a demandé ? Donnez-moi un nom.

— Impossible. Je suis désolé, monsieur Salvatore, mais je risquerais de perdre mon emploi.

Pénélope décida d'intervenir de nouveau. Tant pis si cela devait exaspérer un peu plus encore Stefano.

— Vous me décevez beaucoup, monsieur Marks. Crabe & Associés, ainsi que l'entreprise des Salvatore ont toujours soutenu les manifestations que vous organisez. J'ai bien peur que nous devions réviser nos positions, à l'avenir.

— J'en serais navré, mademoiselle Wentworth. Ces compagnies se sont toujours montrées extrêmement généreuses à notre égard.

— Voyons, Bill, nous est-il jamais arrivé, à mon oncle ou à moi, de commettre un quelconque écart de conduite ?

— Certainement pas, mademoiselle Wentworth !

— Et si je réponds personnellement des Salvatore ?

— Je vous ai demandé de ne pas vous mêler de cette affaire, *cara*.

Légèrement tournée vers lui, elle lui sourit et rétorqua :

— Autant que vous le sachiez tout de suite, j'ai du mal à exécuter les ordres. Je suis davantage habituée à les donner !

Une idée jaillit alors en elle.

— Nous allons danser ! s'exclama-t-elle avec entrain.

— Pardon ?...

— Je vais danser avec vous, puis avec chacun de vos frères, tandis que Loren invitera les dames de votre famille. Et nous rirons. Nous rirons beaucoup, et fort. Nous bavarderons également avec quelques personnages assez influents pour mettre fin aux nouveaux commentaîres susceptibles de surgir dans la soirée. Ces gens seront trop heureux de se montrer coopératifs afin de préserver les bons rapports professionnels qu'ils ont toujours eus avec Crabe.

— Restez à l'écart de tout cela, Nellie. Vous risquez de vous apercevoir que vous n'avez pas autant d'entregent que vous le croyez.

Elle le dévisagea, la mine grave.

— Vous m'avez demandé il n'y a pas très longtemps de suivre l'un de vos conseils. De me fier à votre jugement, sur un certain point.

Stefano soupira.

— Vous voudriez que je me fie au vôtre, maintenant ?

— Nous allons conclure un marché. Je vais m'en tenir à ce que vous m'avez dit.

— Et en échange ?

Elle lui sourit de nouveau, et son sourire lui parut plus rayonnant que jamais.

— En échange... nous danserons !

Se tournant vers Bill Marks, elle ajouta :

— Attendez donc quelques minutes ici avant de retourner dans la salle, Bill. Profitez du spectacle. Je pense que vous n'aurez plus à craindre le moindre « écart de conduite » de toute la soirée !

— Merci, mademoiselle Wentworth. Vous avez sans doute raison...

— De rien, Bill.

Prenant Stefano par le bras, elle se dirigea vers la salle où se déroulait la réception.

— Voyons, monsieur Salvatore, où en étions-nous avant d'être interrompus ?

— J'allais partir, et vous vous apprêtiez à rejoindre Cornell pour solliciter un entretien.

— Curieux, ce n'est pas le souvenir que je garde. Il me semble plutôt que vous étiez sur le point de m'embrasser.

— Et il me semble, à moi, que je n'étais justement pas

54

sur le point de vous embrasser. Une fois n'est pas coutume, j'avais décidé de ne prendre aucun risque !

— Dommage...

Il salua ce commentaire d'un sourire pincé.

— Je partage votre avis.

— Et vous croyez que danser ne représente aucun risque ?

— Avec vous ? J'en doute.

Stefano baissa les yeux sur la femme qui marchait à son côté, toujours suspendue à son bras. Il avait été sur le point de l'embrasser. Il l'avait tenue dans ses bras, et avait ressenti un violent désir de goûter à ces lèvres douces, frémissantes. Pénélope Wentworth ne lui avait pas caché qu'elle avait envie qu'il l'embrasse. Alors pourquoi ne l'avait-il pas fait ?

Parce qu'il voulait lui démontrer qu'elle se méprenait en optant pour un mariage de raison. Mettre l'accent sur tout ce à quoi elle devrait renoncer. Il voulait qu'elle voie en lui un homme, pas seulement un moyen de résoudre ses problèmes. Manifestement, il avait atteint son but. Mais il n'en éprouvait aucune satisfaction. Au contraire, même.

Pénélope avait en elle quelque chose d'innocent qui l'effrayait un peu. Elle ressemblait à la Belle au bois dormant, attendant un baiser. Et il ne tenait pas à être celui qui la réveillerait. Pas tant que sa réputation serait à ce point ternie. Cela lui semblait déloyal, pour l'un comme pour l'autre. En fait, si Stefano n'avait pas senti que cette manœuvre était dirigée contre sa famille, il n'aurait pas permis à la jeune femme de mettre son plan à exécution. Il serait tout simplement parti.

Mais quelqu'un dans l'assistance semblait résolu à anéantir l'entreprise Salvatore. Il balaya la foule de son regard le plus noir. Ce « quelqu'un » aurait dû le prendre lui seul pour cible. En s'attaquant à sa famille, il avait commis une erreur fatale.

Nul n'avait le droit de toucher à ce qui lui appartenait.

Il baissa alors les yeux sur Pénélope.

— Cette affaire ne retombera pas sur vous, je m'en porte garant. Si quelqu'un essaie de...

— Voyons, laissez-moi deviner, fit-elle en se glissant dans ses bras avec une grâce toute féminine qui éveilla ses instincts les plus virils. Vous le lui ferez payer, c'est bien ça ? Tout comme vous lui ferez payer ce qu'il tente d'infliger à votre famille.

Sans lâcher Pénélope, il la guida vers la piste de danse.

— Vous me connaissez donc si bien ?

— Pas aussi bien que je le voudrais.

S'il l'avait embrassée, elle le connaîtrait un peu mieux. Mais il s'était abstenu. Pourquoi ?

Elle croyait le savoir... Craignait-il, s'il l'embrassait, de devoir accepter sa demande en mariage ? A moins qu'elle ne l'intéresse absolument pas ?

Cela n'avait guère d'importance, se dit-elle, stoïque. A vrai dire, elle se réjouissait même qu'il se soit comporté comme il l'avait fait. Pendant quelques instants, elle avait oublié le but qu'elle s'était fixé. Or cela ne lui était jamais arrivé jusque-là. Jamais.

Ce qui signifiait que Stefano Salvatore représentait pour elle un danger, et qu'elle commettrait une erreur de taille en « s'associant » à lui pour prendre la direction de Crabe. Rien ne devait la détourner de son objectif, sans quoi elle risquait d'échouer.

Réprimant un soupir, elle se blottit contre Stefano. C'était dommage. Vraiment dommage. Jusqu'ici, aucun homme n'avait réussi à l'écarter de la voie qu'elle s'était tracée. Elle aurait bien aimé savoir jusqu'où elle pouvait aller, avec celui-ci...

4.

Eberlué, Stefano fixa tour à tour chacun de ses frères.

— Attendez... Vous plaisantez, non ?

— Du tout, lui répondit Luc, l'aîné des six frères. Cette affaire arrive à point nommé. Dom est en Italie, ce qui signifie que tu n'as pas à craindre la désapprobation paternelle. Tu nous as dit toi-même qu'elle t'avait proposé un marché...

— Vous voudriez que j'épouse une femme que je ne connais pas — et donc, que je n'aime pas ! — dans le seul but de permettre à notre entreprise de se développer ?

— Non, rétorqua Luc. Nous voulons que tu épouses Mlle Wentworth afin que Cornell ne mette pas notre affaire en péril. Cette expansion serait très positive pour nous. Si cette jeune personne envisageait d'épouser quelqu'un d'autre, je ne m'en mêlerais pas. Mais Cornell ne manquera pas, s'il en a l'occasion, de nous jouer un sale tour.

— Est-ce que ce serait vraiment si difficile ? intervint Marco. Elle avait l'air très intéressée par toi, hier soir.

Les sourcils levés, Stefano dévisagea son frère jumeau.

— Non. C'est par toi qu'elle avait l'air intéressée !

Marco balaya cette objection d'un geste de la main.

— Un détail... Le fait est que tu lui plais. En outre, c'est toi qu'elle est venue voir avant de frapper à la porte de Cornell. Pourquoi la décevoir ?

— Elle veut remplacer son oncle à la tête des entreprises.

Agacé, Marco reposa son stylo d'un geste sec sur la table.

— Et alors ? Elles lui appartiennent, non ?

Stefano se leva brusquement. Ses frères semblaient s'être ligués contre lui, et cela lui déplaisait souverainement. Il se dirigea vers les baies vitrées de la salle de réunion, qui surplombaient tout San Francisco, et d'instinct, son regard se posa sur l'immeuble des Wentworth.

— Loren Wentworth dirige Crabe & Associés depuis des années. Et très bien, à en croire Pénélope elle-même.

— Cette demoiselle est fermement résolue à se marier, déclara Luc avec une logique exaspérante. Elle ne t'a pas caché que, si tu refusais de l'épouser, elle s'adresserait à un autre. Pourquoi ne pas profiter de l'occasion ?

— A ma place, est-ce que tu le ferais ? lança Stefano d'un ton sec.

— Je suis déjà marié.

— Tu as très bien compris le sens de ma question, Luc ! Si tu n'étais pas marié avec Grace, épouserais-tu une inconnue par intérêt ?

Ce ne fut pas Luc mais Marco qui se chargea de répondre.

— Le problème ne se pose pas exactement en ces termes-là, puisqu'elle t'attire. Car elle t'attire, Stef, tu ne peux pas le nier !

Le principal intéressé pinça les lèvres.

— Désolé, mais je ne vois pas le rapport !

— Tu viens tout juste de la rencontrer, et tu es déjà tout bizarre, insista Marco en souriant. J'étais exactement comme toi quand j'ai connu Hannah.

— Je ne suis pas amoureux d'elle, voyons ! Est-ce que je pourrais tomber amoureux de... d'un ordinateur ?

Marco haussa les épaules.

— Hannah était, elle aussi, obsédée par les affaires. A toi de lui montrer que la vie ne se résume pas à cela, mon vieux. Je suis persuadé que tu en es capable.

58

— Réfléchis un peu, enchaîna Luc. Imagine ce que nous deviendrions si Cornell faisait main basse sur Janus Corporation.

Stefano lâcha un soupir.

— Je suppose qu'il y a peu de chances pour qu'il décline sa proposition ?

Luc secoua la tête.

— Aucune. Il la trouvera même irrésistible. Il épousera cette Mlle Wentworth, ne serait-ce que pour l'attrait de la nouveauté.

Stefano était convaincu que son frère disait vrai. Cela lui remit à la mémoire certains propos que lui avait tenus la jeune femme, la veille au soir. Ne lui avait-elle pas dit que les hommes qu'elle connaissait préféraient Pénélope à Nellie ? En d'autres termes, qu'ils s'intéressaient plus aux avantages matériels que leur apporterait un mariage avec elle qu'à sa personne elle-même.

Il grinça des dents. Cornell était pareil à ces hommes. Peut-être même pire.

— A ton avis, combien de temps lui faudrait-il pour nous mettre à genoux ? insista Luc, conscient que son frère commençait à faiblir.

— Pas très longtemps ! lança Alessandro en poussant la porte de la salle de réunion.

Alessandro, le deuxième des Salvatore, était le plus grand et le plus fort des frères. Le plus sévère aussi, avec un regard froid et une dureté que peu osaient affronter.

— La situation est pire que nous ne l'avions imaginée, ajouta-t-il.

— Ah ? fit Stefano, les sourcils levés. Mais encore ?

— Cornell est à l'origine de l'incident qui s'est produit hier soir. Non content d'exiger de Marks qu'il demande à Stefano de quitter les lieux, il a dit à qui voulait l'entendre qu'il y avait eu de nouveaux rebondissements dans l'affaire Bennett, et que tous les Salvatore étaient soupçonnés d'y avoir trempé.

— Nous le poursuivrons en justice pour diffamation !

— Pas question de s'en remettre à un juge pour régler ce problème, protesta Pietro, l'œil menaçant. Allons plutôt le trouver !

Rocco serra les poings.

— Je suis prêt !

— Non, fit Luc. Nous avons un meilleur moyen de nous venger. Un moyen qui aura de sérieuses répercussions sur la bonne marche de ses affaires. N'est-ce pas, Stefano ?

Ce dernier sentit les mailles du filet se resserrer autour de lui.

— Qu'est-il donc advenu du fameux principe des Salvatore, selon lequel on ne se marierait que par amour ?

— Tu ne seras pas le premier à démontrer que cette théorie est fausse ! s'exclama Alessandro. J'ai une bonne longueur d'avance sur toi.

— Tu crois peut-être que deux divorces dans la famille paraîtront plus acceptables qu'un seul ? Toi, au moins, tu t'es marié par amour, même si ça n'a pas duré.

Marco avança vers son frère jumeau et lui posa lourdement la main sur l'épaule.

— Stefano, un courant particulier passe entre cette Pénélope Wentworth et toi. Cela crève les yeux. Je te concède qu'il est un peu tôt pour appeler cela de l'amour. Mais, supposons que tes sentiments pour elle se développent au fil du temps ? Si elle épouse Cornell, tu n'auras jamais la chance de le découvrir.

Stefano leva les yeux au ciel.

— Tu rêves !

— Ce sont des rêves plutôt agréables.

— Marco...

— Si tu n'es toujours pas convaincu, écoute bien ce qui va suivre. Elle nous a soutenus, hier soir. Elle a dansé avec chacun de nous, sans se soucier le moins du monde de protéger sa réputation. Je suppose que Cornell a dû apprécier très modérément son attitude. Quand il saura quels sont les termes du mariage qu'elle lui propose, il acceptera sans hésiter et aura ainsi tout le loisir de savourer sa vengeance.

Marco avait raison, et Stefano le savait. Il ne doutait pas un seul instant de la rage qu'avait dû ressentir Cornell la veille au soir. Rage qu'il n'avait d'ailleurs pas essayé de cacher, ce qui avait incité Alessandro à mener sa petite enquête.

Stefano devait une fière chandelle à Pénélope. Pas seulement lui, mais toute sa famille. Comme promis, elle avait dansé à plusieurs reprises avec lui et avec chacun de ses frères. Elle avait même insisté pour qu'ils restent jusqu'à la fin de la soirée. Tous ensemble, ils avaient plaisanté, ri, comme s'ils n'avaient pas le moindre souci en tête. Elle avait remporté un fier succès auprès de ses belles-sœurs, Carina, Grace et Hannah, qui l'avaient toutes trouvée exquise. A la fin de la soirée, les quatre femmes bavardaient à bâtons rompus, comme si elles étaient des amies de longue date.

Et Stefano s'était maintes fois surpris à regretter de ne pouvoir se ménager un aparté avec Nellie sur la terrasse, où ils auraient terminé ce qui avait été amorcé. Il l'aurait enlacée, embrassée encore et encore, jusqu'à ce qu'elle oublie Cornell, Janus Corporation, et cette absurde idée de mariage !

Son regard se posa sur les fenêtres qui, selon les informations que lui avait fournies ce matin-là le détective privé de l'entreprise, entouraient le bureau de Pénélope. Il fallait qu'il intervienne, qu'il l'empêche de prendre le risque qu'elle était prête à prendre. Elle était peut-être familiarisée depuis seize ans avec l'univers coriace des affaires, mais n'avait pas pour autant idée de ce que représentait quelqu'un de la trempe de Cornell. Et Stefano préférait qu'il continue d'en être ainsi !

— D'accord, dit-il en faisant volte-face pour affronter sa famille. J'irai la voir, mais entendons-nous bien : ne considérez surtout pas cela comme une promesse de mariage de ma part. J'essaierai de faire en sorte qu'elle accepte de nous vendre Janus.

— Tu envisages de lui parler avant qu'elle rencontre Cornell ?

— Bien sûr. Je ne suis pas fou !

Seulement idiot..., rectifia-t-il en son for intérieur.

— Je vais l'appeler.

— A ta place je frapperais plutôt à sa porte, suggéra Marco. Use donc du célèbre charme des Salvatore !

— Elle n'est pas sensible au charme. Elle me l'a dit.

— Dans ce cas, utilise la raison. Et si ça ne fonctionne pas...

— Oui ?

Le visage de Marco se fendit d'un grand sourire.

— Eh bien, essaie de lui donner ce baiser dont elle avait manifestement très envie hier soir !

Stefano n'était pas venu. Pénélope laissa échapper un petit soupir de regret. Depuis son arrivée au bureau ce matin-là, elle avait espéré qu'il frapperait à sa porte et lui dirait que les avantages du mariage qu'elle lui proposait étaient plus nombreux que les inconvénients. Au fond d'elle-même, elle était persuadée que la perspective d'acquérir Janus l'emporterait sur tout le reste.

Sans même s'en apercevoir, elle souleva le téléphone et appuya sur la touche qui la mettait en ligne avec sa secrétaire.

— Est-ce que j'ai eu des messages ?

— Quatorze appels et dix-neuf courriers électroniques.

— L'un d'entre eux de...

— Non, aucune nouvelle de M. Salvatore. Je suis désolée, mademoiselle Wentworth.

La sympathie qui perçait dans la voix de Cindy ne fit que remuer le couteau dans la plaie.

— Bon. Il est temps que je parte chez Benjamin, où je dois déjeuner avec M. Cornell. Si mon oncle vous demande où je suis, dites-lui, s'il vous plaît, que je déjeune avec un client potentiel. Surtout, Cindy, ne lui révélez sous aucun prétexte où je suis, et moins encore avec qui.

— Très bien, mademoiselle Wentworth. Et si M. Salvatore téléphone ?

— Il ne téléphonera pas.

Après avoir reposé le combiné, Pénélope prit son sac et se dirigea vers la porte de son bureau. Sur le seuil, elle embrassa la pièce du regard. Il faudrait qu'elle songe sérieusement à en changer la décoration. Elle opterait cette fois pour des tons chauds. Et elle afficherait aussi quelques photos de famille.

— Où est-elle ?

— Je regrette, monsieur, mais Mlle Wentworth n'est pas disponible.

— Pour moi, si !

Stefano passa à côté de la secrétaire et, d'une démarche ferme, se dirigea vers la porte où était inscrit le nom de sa « future fiancée ». La pièce était vide. Incapable de s'en empêcher, il y entra et regarda autour de lui, les sourcils froncés. Cet environnement était froid, triste. Terriblement fonctionnel. Seul le délicieux parfum qui y flottait rappelait la présence de la jeune femme.

— Où est Mlle Wentworth ? lança-t-il en rebroussant chemin.

— Monsieur, je ne peux pas...

— Je vais vous faciliter la tâche, l'interrompit-il, la main levée. Je suis Stefano Salvatore. Nous avons, Nellie et moi... une affaire en cours. Dans la mesure où j'arrive plus tard qu'elle ne le pensait, j'imagine qu'elle est partie retrouver Cornell, avec qui elle a sans doute rendez-vous pour déjeuner ? Est-ce que je me trompe ?

La secrétaire ne lui répondit pas, mais à l'expression de son visage il comprit qu'il avait vu juste.

— Parfait. Maintenant, j'attends de vous que vous me donniez l'heure exacte et le lieu du rendez-vous.

— Mais monsieur... c'est impossible. Je risquerais de perdre mon emploi.

La tête penchée de côté, Stefano réfléchit. Quel endroit avait bien pu choisir Pénélope pour déjeuner avec un client potentiel? Un client auquel elle s'apprêtait à proposer un marché des plus curieux. La réponse jaillit immédiatement dans son esprit : Benjamin. Un établissement à l'ambiance feutrée, avec une clientèle d'hommes d'affaires triée sur le volet, le tout beaucoup trop fade au goût de Stefano.

— A quelle heure ont-ils rendez-vous chez Benjamin? demanda-t-il à Cindy, qui le fixa, stupéfaite.

— Mais que?... Comment?...

Puis elle serra les lèvres.

— A midi, fit-elle avec un soupir. Mais si vous répétez que c'est moi qui vous l'ai dit, j'espère que vous aurez un poste à me proposer dans votre entreprise. Et sachez que je ne me contenterai pas d'un salaire de misère!

— Rassurez-vous, vous ne serez pas licenciée. Vous risquez même d'être augmentée.

Elle le serait en effet, dès qu'il aurait convaincu Pénélope qu'il était préférable qu'elle l'épouse, lui, plutôt que Cornell. Car désormais, il était prêt à accepter son marché.

— Je ne manquerai pas de vous le rappeler le moment venu! Au fait, je m'appelle Cindy, précisa-t-elle en baissant les yeux sur sa montre. Et si vous voulez arriver à temps, vous feriez bien de vous dépêcher. Mlle Wentworth attache beaucoup d'importance à la ponctualité.

Stefano hocha la tête et s'empressa de quitter les lieux. Au bas de l'immeuble, il s'aperçut qu'il n'avait que dix minutes devant lui pour rejoindre le restaurant. La chance lui souriait ce jour-là, car un taxi tourna le coin de la rue à ce moment précis. Il était 11 h 59 lorsque la voiture freina devant l'entrée de Benjamin. A midi pile, il s'avançait vers Pénélope, tandis que le maître d'hôtel les conduisait, Cornell et elle, à leur table.

— Désolé d'être en retard, *cara*.

Il lui passa un bras autour de la taille, l'éloignant ainsi de Cornell, et la prit dans ses bras. Cette fois, il n'hésita pas, et l'embrassa. Le silence se fit dans la salle, et il eut l'impression que tous les regards convergeaient sur eux. Mais il n'y songea pas plus d'une seconde. Quelque chose de bien plus intéressant retenait son attention.

Quel idiot il avait été, la veille ! Refuser d'embrasser la jeune femme en privé... Cette erreur, il se promettait bien de ne plus jamais la commettre. Sous des dehors de parfaite femme d'affaires, Pénélope cachait un tempérament de feu.

Elle ne résista qu'une fraction de seconde à son étreinte. Son corps se raidit, puis s'abandonna avec souplesse contre le sien. Ses lèvres douces, tièdes, s'ouvrirent pour répondre à son baiser, et Stefano sentit le sang bouillir dans ses veines. Si seulement ils ne s'étaient pas trouvés au beau milieu de cette salle de restaurant, parmi cette clientèle guindée...

Ce fut à contrecœur qu'il s'écarta d'elle. Mais le spectacle qu'elle lui offrit alors le combla de joie. Les joues toutes roses, ébouriffée, les lunettes de guingois, elle n'avait plus rien à voir avec la femme si sûre d'elle qui avait fait irruption dans son bureau, la veille, pour lui proposer ce marché abracadabrant. Nellie était vibrante de passion...

— Vous êtes à moi, maintenant, murmura-t-il en la dévorant du regard.

Elle cligna des paupières et, d'un geste machinal, remonta ses lunettes sur son nez.

— Ce qui signifie que... vous acceptez mon marché ?

— A condition que nous reprenions les négociations.

— Accepté !

— Si nous scellions cet accord par un baiser ?

— J'ai bien peur que, à ce stade de notre relation, cela paraisse étrange..., déclara-t-elle, une pointe de regret dans la voix.

— Rabat-joie !

Elle toussota et hasarda un regard par-dessus son épaule.

— Et que... qu'allons-nous faire de Cornell ?

A quelques mètres d'eux, la mine sombre, ce dernier observait du coin de l'œil la scène qui se déroulait entre Pénélope et Stefano.

— Il faut que vous me fassiez confiance, chuchota Stefano en lui caressant la joue. Que vous suiviez l'exemple que je vais vous donner.

Pénélope grimaça.

— Ce ne sera pas facile, mais je vais essayer...

La voix de Cornell, dure et sèche, retentit alors derrière eux.

— Je vous prie de m'excuser, Pénélope, mais allons-nous oui ou non déjeuner ensemble?

La jeune femme s'efforça de cacher sa gêne derrière un masque professionnel.

— Désolée, Robert, fit-elle.

Décidant qu'il était temps d'intervenir avant que la situation ne dégénère, le maître d'hôtel les invita à le suivre.

— Connaissez-vous Stefano Salvatore? reprit Pénélope, d'un ton qui se voulait naturel.

— Possible. Il y a tellement de Salvatore que ce n'est pas toujours facile de s'y retrouver.

Il fronça les sourcils, faisant mine de réfléchir.

— Il s'agit de l'escroc, n'est-ce pas?

Stefano accueillit l'insulte avec un grand sourire. Il invita Pénélope à prendre place sur une chaise et s'assit à côté d'elle.

— Je crois pouvoir vous fournir un moyen de me distinguer des autres Salvatore. Je suis celui qui va épouser Nellie.

— Nellie? répéta Cornell, les sourcils levés. Et qui est donc Nellie?

La jeune femme soupira.

— Il veut parler de moi...

Cornell se rembrunit davantage encore.

— Vous allez donc vous marier, tous les deux?

— Le plus tôt possible! déclara Stefano, avec enthousiasme.

— Et qu'ai-je donc à voir dans cette affaire?

— Rien.

Terriblement mal à l'aise, Pénélope s'agita sur son siège.

— Je devrais peut-être vous expliquer...

— Je vais m'en charger, l'interrompit Stefano en la prenant par la main. Voilà. Nous voulions vous proposer, ma

66

fiancée et moi, de racheter votre entreprise. Si cela vous intéresse, nous pourrions en discuter pendant le déjeuner.

Un rire dénué de gaieté s'échappa des lèvres de Cornell.

— Racheter mon entreprise ? Vous plaisantez, je suppose ?

— Du tout.

— Vous ne manquez pas d'audace, Salvatore, je vous le concède. Et auriez-vous la gentillesse de m'expliquer pourquoi je souhaiterais vendre ? Il me semble que les rôles sont inversés, mon cher ! Ce serait plutôt à moi de vous proposer le rachat de la compagnie Salvatore. Dans les circonstances actuelles, je doute que vous puissiez rester longtemps encore dans les affaires.

— Vous vous méprenez. Salvatore vous offre ainsi l'occasion de tirer élégamment votre révérence tant qu'il est encore temps. Avant que tout le monde sache que nous sommes les nouveaux patrons de Janus.

— Que signifie tout cela ? lança Cornell, furieux, en se tournant vers Pénélope. Vous m'avez dit par téléphone que vous aviez à me proposer un marché qui m'intéresserait sans doute. Pas une seule fois au cours de notre brève conversation, il n'a été question que je vous vende mes biens !

La jeune femme impressionna Stefano en affichant un air surpris.

— Ah bon ?...

— Je ne sais pas à quel jeu vous jouez tous les deux, mais vous vous trompez si vous croyez pouvoir vous moquer de moi ! Janus ne vous appartient pas encore, Salvatore. Et même si vous réussissez à en devenir propriétaire, comptez sur moi pour vous mettre des bâtons dans les roues !

Stefano se leva lentement, toisant son adversaire.

— Vous croyez que je veux racheter votre entreprise ? Erreur ! Ce que je veux, c'est vous faire payer ce que vous avez infligé à ma famille !

— J'ai l'impression que votre charme légendaire ne vous

réussit pas beaucoup en ce moment, mon vieux ! D'abord avec Kate Bennett...

Il reporta son attention sur Pénélope, et lui caressa les cheveux.

— Vous devriez lâcher Salvatore et vous marier avec moi, Nellie. Vous ne perdriez pas au change, je vous le certifie.

— Ne la touchez pas !

Stefano s'était exprimé d'une voix dangereusement calme. Les deux hommes se dévisagèrent quelques instants en silence, puis Cornell se leva à son tour.

— Je quitte la scène... pour l'instant. Mais ne croyez surtout pas que je considère cette affaire comme étant classée.

— Je n'en attendais pas moins de vous !

— A bientôt, lança Cornell d'une voix tendue.

Puis il tourna les talons et disparut, s'efforçant de ne rien perdre de sa dignité. Il n'en restait pas moins que c'était lui qui avait quitté les lieux, et que Stefano estimait donc avoir remporté cette bataille. Le sourire triomphant qu'il arborait en était la preuve. Il savourerait le souvenir de ce moment pendant longtemps. Son seul regret était que ses frères n'aient pas assisté à cet échange de propos.

— Vous êtes content de vous ? s'enquit brusquement Pénélope, dont la voix trahissait l'indignation.

— J'irais même jusqu'à dire que je jubile !

— Eh bien, ne comptez pas sur moi pour vous donner ma bénédiction ! Vous m'avez dit que je devais vous faire confiance. Pas une seule fois il n'a été question que vous vous querelliez avec Cornell, et que je sois en plus l'enjeu de cette querelle !

Les lèvres serrées, elle saisit son sac.

— Si ça ne vous ennuie pas, je préférerais que nous poursuivions cette discussion dans mon bureau.

Elle s'apprêtait à se lever lorsqu'il reprit la parole.

— Restez assise, Nellie.

— Comme je crois vous l'avoir déjà précisé, je supporte mal qu'on me donne des ordres !

68

Ils étaient une fois de plus le point de mire de la clientèle du restaurant.

— Je vous ai demandé de rester assise.

Si Stefano n'avait pas élevé la voix, il s'était adressé à elle sur ce même ton inflexible qu'il avait employé avec Cornell. Pénélope se pencha vers lui, jusqu'à ce qu'ils soient quasiment nez à nez.

— Ecoutez-moi, Salvatore. Et écoutez-moi bien !

— Je suis tout ouïe.

— Dans la mesure où vous ne paraissez pas disposé à me suivre, je vais rester. Mais ne croyez pas un seul instant avoir gagné la partie. Compris ? Je n'ai d'ordres à recevoir de personne. Personne !

— Compris, Nellie. Simple curiosité de ma part... pourquoi avez-vous finalement décidé de rester ?

— Parce qu'il se trouve que j'ai faim, que j'apprécie la cuisine du Benjamin, et qu'on a souvent du mal à y réserver une table. Voilà les seules raisons que je suis disposée à vous révéler, conclut-elle en ouvrant la carte.

Stefano sourit. Sa future femme était décidément irrésistible...

— Vous vous connaissez, n'est-ce pas, Cornell et vous ?

Seuls ses yeux dépassaient de la carte.

— Sur un plan autre que professionnel, précisa-t-elle.

Stefano ne fit pas semblant de ne pas avoir saisi le sens de sa question.

— Nous nous sommes rencontrés à une ou deux reprises.

— C'est ce que j'ai cru deviner hier soir, quand vous parliez de lui. Mais j'imagine que vous n'avez pas fait que vous croiser. Il y a eu un différend entre vous. Pourquoi ne me l'avez-vous pas dit ?

— Parce que ça ne vous regarde pas.

Elle referma la carte d'un geste sec.

— Ça ne me regardait pas. Mais maintenant, en qualité de future épouse, j'estime être en droit de savoir...

— Si ce mariage était authentique, je ne vous contredirais sans doute pas. Dans la mesure où il s'agit d'une association à caractère professionnel, pour reprendre vos propres termes, je considère ne pas avoir à vous fournir d'explications.

— C'est une affaire liée à une femme, non? insista-t-elle. A votre ex-fiancée, peut-être?

— Vous devriez goûter ces gressins aux épices. Ils sont délicieux.

— Qu'a-t-il fait? Est-ce qu'il a eu une relation avec elle après votre rupture? A moins qu'il ne l'ait encouragée à rompre?...

— Vous n'envisagez visiblement pas d'abandonner avant que j'aie répondu à vos questions...

— Je suis tenace.

— Je dirais plutôt, curieuse!

— Résolue.

— Têtue.

— Question de point de vue, déclara-t-elle avec assurance. Alors, Cornell est-il responsable de votre rupture, ou est-il entré en scène après?

— Oh, il a précédé la rupture!

— Est-ce pour cette raison que vous avez essayé de me mettre en garde contre lui? Parce que vous ne vouliez pas qu'il me joue les mêmes tours qu'à Mlle Bennett? C'est vraiment gentil à vous..., poursuivit-elle avec un grand sourire.

— Désolé de vous décevoir, *cara*, mais il n'y a rien de gentil à cela. Nous avons passé un marché. Vous vous en souvenez, je suppose?

Le sourire de la jeune femme se figea.

— Bien sûr.

— Vous aviez le choix entre Cornell et moi, fit-il en lui soulevant le menton afin de l'obliger à le regarder. C'est finalement moi que vous avez choisi, et j'espère bien que vous ne vous écarterez pas de cette voie.

Une lueur de colère étincela dans ses yeux dorés.

— Pas une seule fois de ma vie je n'ai manqué à ma parole!

— C'est ce que m'a dit mon détective privé, et cela fait d'ailleurs partie des raisons pour lesquelles je suis assis ici.

— J'ai l'impression que vous avez de sérieux problèmes avec la notion de confiance. Vous voudriez que je vous suive les yeux fermés, mais vous vous méfiez de moi...

Stefano ne chercha pas à la persuader du contraire.

— Vous venez bien de dire... détective privé ? murmura-t-elle, les sourcils froncés. Vous vous êtes adressé à un détective privé pour avoir des renseignements à mon sujet ?

— Rien que de très normal, puisque j'ai des problèmes de confiance ! répliqua-t-il avec un sourire doucereux.

— Je crois que nous nous comprenons très bien. Votre fiancée et Cornell vous ont trahi, et vous n'avez désormais plus confiance en personne.

— Faux. C'est Cornell qui ne m'inspire aucune confiance. Il connaît mes plans à présent, et fera tout ce qui est en son pouvoir pour les contrer. Je veux que vous entriez dans cette relation les yeux grands ouverts. Et surtout, que vous sachiez qu'il est trop tard pour revenir en arrière.

— Je n'ai pas la moindre intention de revenir en arrière.

— Parfait. Dans ce cas, il nous reste un dernier détail à régler.

— Lequel ?

Il lui lâcha enfin le menton, et son regard se fit plus intense encore.

— Les clauses de notre mariage.

5.

Pénélope attendit que le serveur ait noté la commande et s'éloigne de leur table pour reprendre la conversation là où ils l'avaient laissée.

— Je suppose que vous avez certaines conditions à me soumettre ? Je vous écoute.

Elle se sentait sûre d'elle. Le domaine concret des affaires était pour elle un terrain connu.

— En premier lieu, l'acquisition de Janus au prix intéressant que vous avez énoncé hier, dans mon bureau.

— Chose promise, chose due.

— Ensuite, il faudra que vous viviez sous mon toit pendant toute la durée de notre mariage.

Oh... Voilà qui ne lui plaisait pas. Pas du tout, même. Le serveur arriva alors avec la bouteille de vin commandée par Stefano, et elle dut attendre qu'il ait procédé au rituel de l'ouverture pour manifester sa désapprobation.

— Et pourquoi faudrait-il que j'habite avec vous ?

— Comment trouvez-vous ce vin ?

— Je suis certaine qu'il est très bon, répondit-elle, buvant en hâte une gorgée afin de confirmer ce qu'elle venait d'avancer.

Le goût exquis et fruité du nectar qui flatta soudain son palais la surprit. La sensation était aussi riche, aussi délicieuse, que l'accent de Stefano.

— Vraiment succulent, ajouta-t-elle avec une expression qui ne démentait pas ses propos. Une saveur très accentuée et inhabituelle.

— Nous importons ce cru d'Italie.

— Je comprends pourquoi. Je bois très rarement du vin à midi, mais je suis prête à faire une exception pour celui-ci.

— Voyons, laissez-moi deviner le motif de votre sobriété..., observa-t-il d'un ton gentiment railleur. Vous considérez sans doute que l'alcool vous empêche d'avoir les idées claires pour traiter une affaire. Je me trompe?

— Non.

— Tiens donc! Cela ne me surprend pas du tout de vous...

— Il faut toujours raison garder!

Pénélope but une autre gorgée de vin.

— Mais peut-être me suis-je montrée un peu trop raisonnable jusqu'ici..., admit-elle.

— J'en ai l'impression.

Soulevant son verre, Stefano admira la belle robe rubis du breuvage.

— C'est un vin agréable, mais j'avoue manquer peut-être d'objectivité vu que ces vignes appartiennent à la branche italienne de la famille des Salvatore. Mon père se trouve d'ailleurs là-bas en ce moment même.

— Il s'agit d'un cru connu, j'imagine?

— En effet.

Il reposa son verre sur la table et prit la main de la jeune femme, qu'il serra dans la sienne.

— Je tiens à ce que nous vivions ensemble, Nellie, parce que je veux que notre mariage paraisse le plus normal possible aux yeux de tout un chacun.

— Nous voici donc revenus à nos moutons...

Manifestement, Stefano avait moins de mal qu'elle à s'écarter du but de leur tête-à-tête. Dommage. Elle avait eu grand plaisir à oublier ces leçons que Loren s'était employé à lui inculquer au fil des ans.

— Cela ne durera pas longtemps, je vous le promets. Ce n'est pas mon genre.

— Dans ce cas, je peux me montrer magnanime. Continuez, je vous écoute, fit-elle en glissant une mèche de cheveux derrière son oreille.

— Voyez-vous, dans la mesure où ce mariage précipité ne manquera pas d'éveiller la curiosité autour de nous, j'aime autant éviter une source supplémentaire de commérages.

Les commérages. Pénélope fronça le nez. Comment ces aspect de leur association avait-il pu lui échapper ? Ils étaient tous deux trop connus dans le milieu des affaires pour ne pas susciter l'intérêt général. En outre, le récent scandale entourant Salvatore rendrait l'événement d'autant plus captivant.

— J'imagine qu'il sera difficile d'échapper à ces commentaires. Mais les gens finiront pas nous oublier.

— J'en doute. Surtout quand ils constateront que vous n'êtes pas enceinte.

— Ils nous croiront peut-être trop amoureux l'un de l'autre pour envisager tout de suite de procréer...

Comme ces mots franchissaient les lèvres de la jeune femme, elle sentit ses joues rosir, et se mit à jouer nerveusement avec son verre.

— Tout dépendra de l'attitude que nous aurons ensemble. Mais les commérages reprendront de plus belle quand vous prendrez la direction de Crabe. Je suppose que tout le monde n'est pas au courant des clauses du testament de vos parents ?

— En effet, articula-t-elle, redoutant ce qui allait suivre.

— Quand vous assumerez officiellement les fonctions de P.-D.G., les gens penseront que vous m'avez épousé pour supplanter votre oncle. Surtout quand on saura que les Salvatore se sont portés plusieurs fois acquéreurs de Janus. Et ce ne sera jamais que la vérité, n'est-ce pas ?...

— Oui, chuchota-t-elle. Il y a certaines raisons...

— Voilà qui nous conduit à la troisième de mes conditions.

Elle savait, sans l'ombre d'un doute, ce qu'il s'apprêtait à lui demander à présent. Il voudrait qu'elle lui explique pourquoi elle tenait tant à prendre les rênes de cette société.

— S'il vous plaît, ne posez pas cette condition. Il m'est impossible de vous dire pourquoi j'agis ainsi. Pas encore. Pas tant que nous ne serons pas mariés.

— Pourquoi?

— C'est confidentiel. Si je vous en parlais maintenant, cela mettrait en péril Crabe & Associés. Je ne peux donc pas le faire. Mes intérêts professionnels doivent passer en priorité.

— Ça ne vous dérange donc pas qu'on vous soupçonne de n'avoir aucune confiance en votre oncle?

— Que voulez-vous dire? s'enquit-elle, alarmée.

Le serveur apparut alors avec leurs plats, et elle attendit impatiemment qu'il reparte. La salade de poulet qu'elle avait commandée — sauce à part — ne paraissait guère appétissante, comparée au plat de pâtes aux fruits de mer choisi par Stefano. Elle remarqua qu'il la regardait. A son grand étonnement, Pénélope le vit transvaser la moitié de son plat dans sa propre assiette.

— Mais que faites-vous?

— A votre avis? Je vous donne ce dont vous avez vraiment envie!

— Si j'avais eu envie de pâtes aux fruits de mer, j'en aurais commandé.

Le regard scrutateur dont il la gratifia la mit mal à l'aise.

— Permettez-moi d'en douter. Vous me donnez plutôt l'impression d'être quelqu'un qui fait ses choix sans tenir compte de ses désirs réels. Faites-vous plaisir, pour une fois, *cara*.

Ne sachant que répondre, elle porta à sa bouche une bouchée de pâtes aux fruits de mer, qui étaient aussi savoureuses qu'elles en avaient l'air. Elle but ensuite une gorgée de vin et fronça le nez.

— Normalement, on ne boit pas de vin rouge avec des fruits de mer.

— Est-ce que ce vin vous plaît?

— Oui.

— Et les pâtes?

— Beaucoup.

— Dans ce cas, ne perdez pas votre temps à analyser ce qui est bien ou pas. Contentez-vous d'apprécier ce mélange prétendument insolite!

Stefano attendit que la jeune femme ait fini de déjeuner pour reprendre leur conversation.

— En ce qui concerne votre oncle...

Pénélope se mordit la lèvre. Comment avait-elle pu oublier le sujet dont ils discutaient avant l'arrivée du serveur? Cela ne lui était jamais arrivé jusque-là.

— Oui, bien sûr. Vous me parliez de l'impact défavorable qu'aurait notre mariage sur Loren.

— Si on vous soupçonne de vous marier pour retirer à votre oncle les pouvoirs dont il jouissait jusqu'à présent, cela le placera dans une position pour le moins délicate. Tout le monde pensera que vous n'avez plus confiance en lui.

— Pour rien au monde je ne voudrais faire de mal à Loren, protesta-t-elle.

Stefano se pencha par-dessus la table.

— C'est pourtant le chemin que vous empruntez. L'avez-vous mis au courant de vos projets de mariage?

Comment aurait-elle pu le faire? Mais cela, il lui était impossible de l'expliquer à Stefano.

— Non, répondit-elle à voix basse.

— Ne croyez-vous pas qu'il se sentira humilié, le jour où vous prendrez sa place au conseil d'administration?

Elle n'avait pas réfléchi à cet aspect de la situation. Bien sûr, elle n'avait pas envisagé de le remplacer sans crier gare devant tous les membres du conseil, mais le résultat serait le même. Pourquoi tout ce qui touchait à cette affaire était-il si compliqué? Peut-être parce qu'elle s'était trouvée dans l'obligation de prendre cette décision, sans avoir élaboré la moindre stratégie.

— Et... que suggérez-vous ? murmura-t-elle.

— Nous n'avons pas de temps à perdre à cause de Cornell, mais je propose que pendant les semaines à venir, nous nous efforcions de donner aux gens l'impression d'avoir succombé à un coup de foudre.

— Est-ce vraiment nécessaire ?

— Je n'essaie pas seulement de ménager Loren, mais aussi mon père. Dom acceptera bien plus facilement ce mariage s'il croit qu'il est fondé sur l'amour... plutôt que sur des intérêts commerciaux.

Il remarqua que Pénélope pinçait les lèvres.

— J'ai appris par mon détective privé que vous alliez fêter votre anniversaire dans quelques semaines, poursuivit-il. Nous pourrions mettre cet événement à profit pour organiser une fugue romantique et nous marier à Las Vegas ou à Reno. Cela suscitera certes des commérages, mais du moins la réputation de votre oncle sera-t-elle sauve. Tout le monde pensera que vous avez enfin décidé de voler de vos propres ailes.

Ce schéma paraissait parfait, même si la perspective de feindre une idylle avec Stefano Salvatore pendant les semaines suivantes ne la réjouissait guère.

— Très bien. Cette condition me convient aussi. Avez-vous autre chose à ajouter ?

— Je crois que nous devrions discuter aussi de la durée du mariage.

— Il est inutile qu'elle soit très longue.

— Si.

— Stefano...

— Si nous nous marions et divorçons au bout de quelques mois, je doute que les gens nous prennent au sérieux, ce qui aurait sans nul doute des répercussions fâcheuses sur nos carrières. Y a-t-il une raison particulière pour que vous souhaitiez un mariage de courte durée ?

— Supposons que l'un de nous... rencontre l'âme sœur ?

Elle aurait tant aimé qu'il cesse de la scruter de la sorte !

— Est-ce probable ? lança-t-il d'un ton brutal.

Pénélope trouvait son futur mari beaucoup trop autoritaire et possessif. Elle n'hésita donc pas à formuler le premier mensonge qui lui vint à l'esprit.

— Qui me dit que je ne croiserai pas demain le prince charmant ?

— Dans ce cas, je pense qu'il serait préférable que vous ne m'épousiez pas et que vous continuiez de l'attendre !

— Vous êtes vraiment terrible ! murmura-t-elle afin de ne pas éveiller l'attention de leurs voisins. Vous savez bien que je n'ai aucune envie de me marier, pas plus avec vous qu'avec un autre. S'il n'y avait pas...

Elle s'arrêta net, consciente d'avoir été sur le point de trahir son secret, et repoussa son verre de vin, regrettant de ne pouvoir en faire autant de Stefano. L'un comme l'autre avaient sur elle des effets pervers. Ils lui faisaient perdre le contrôle de la situation, ce qui était impensable en ce moment.

— ... s'il n'y avait pas eu... des imprévus, je ne vous épouserais pas, finit-elle, les yeux rivés sur ses mains.

— Vous me flattez, *cara*.

— Je vous prie de m'excuser. Je crains de m'être montrée grossière.

Si elle ne se ressaisissait pas, et vite, il n'y aurait plus de mariage à négocier.

— Vous voulez que nous habitions ensemble ? Parfait. Vous souhaitez que notre mariage dure un certain temps ? D'accord. J'ai toutefois une question à vous poser. Faudra-t-il que nous vivions sous le même toit pendant toute la durée de notre mariage ?

— Cela me semblerait préférable. Croyez-vous en être capable ? ajouta-t-il avec un petit sourire.

— J'essaierai... Si vous pensez en avoir fini, à mon tour, maintenant. J'ai moi aussi une condition à vous soumettre.

— Laquelle ?

Elle redressa le menton, remonta ses lunettes et le regarda droit dans les yeux.

— Que ceci soit bien clair entre nous. Je tiens à être responsable de notre mariage. C'est moi qui prendrai les décisions. Qui choisirai ce que nous faisons, et quand nous le faisons.

— Et quel sera mon rôle ?

— Vous obéirez ! répondit-elle avec un sourire sarcastique.

— Supposons que je n'accepte pas cette intéressante condition ?

— Je me trouverai dans l'obligation de rendre visite à M.Cornell, qui sera peut-être, lui, plus disposé à se montrer coopératif.

Pénélope ne se rappelait pas avoir jamais tenté un tel coup de bluff. Et Stefano s'en doutait certainement. Mais elle refusait de faire machine arrière. Tout comme elle refusait de passer les semaines et les mois suivants à se laisser dominer par Stefano Salvatore !

— Dans ce cas, je dois dire que votre condition est vraiment intéressante, *cara*..., observa-t-il avec un curieux sourire.

— Je ne vois pas où est le problème, fit Stefano, le combiné du téléphone coincé entre l'épaule et l'oreille. Vous étiez bien d'accord pour que nous donnions l'impression d'être éperdument amoureux l'un de l'autre, non ?

La voix féminine qui retentit sur la ligne avait des accents stridents.

— Pour moi, être amoureux implique offrir des fleurs, des chocolats, aller ensemble au restaurant, au théâtre. Certainement pas... ce que vous savez !

— Je vois. J'en déduis que vous n'étiez pas seule quand vous avez ouvert la boîte. C'est bien ça ?

— Tout juste ! J'avais en face de moi les présidents de trois importantes firmes avec lesquelles nous travaillons, quand votre cadeau empoisonné m'a été livré ! J'ai cru qu'il s'agissait d'une boîte de chocolats, et je me suis dit que si je l'ouvrais tout de suite, la nouvelle de notre idylle commencerait à se répandre.

— Vous auriez dû remarquer que le paquet était trop léger pour contenir des chocolats.

— Peut-être, mais je ne l'ai pas remarqué !

— Bizarre... On ne vous a donc jamais offert des chocolats ?

— Nous nous écartons du sujet qui m'intéresse, Stefano Salvatore...

La voix de la jeune femme avait néanmoins fléchi, révélant une fragilité qui le perturba.

— Vous ne m'en voudrez pas, j'espère, si j'insiste. Tous les hommes que vous avez connus jusqu'ici étaient-ils aveugles, ou simplement idiots ?

Le silence se fit, et il l'imagina en train de remonter ses lunettes sur son nez, de redresser les épaules, gestes qui, en l'espace de quelques heures, lui étaient déjà devenus familiers. Agréablement familiers...

— Je ne vous ai pas appelé pour vous raconter ma vie ! Avez-vous une quelconque idée de la façon dont ont réagi ces hommes quand j'ai ouvert le paquet ?

— Ma foi, je sais comment j'aurais réagi, moi. Alors, qu'ont fait vos visiteurs ?

— Ils... Mais là n'est pas le problème. Le résultat est sans nul doute celui que vous escomptiez : ils doivent être persuadés que notre relation n'a rien de platonique ! Et j'imagine que pas mal de gens doivent être au courant, maintenant.

— Parfait.

— Non, pas du tout ! Vous rappelez-vous par hasard avoir accepté la condition que je vous ai posée, concernant notre mariage ?

— Non.

Pénélope manqua s'étrangler.

— Comment cela, « non » ? Je souhaitais...

— ... tirer les ficelles ? Je vous rappelle que nous ne sommes pas encore mariés.

Il entendit souffler dans le combiné.

— Stefano ?

— Oui, *cara* ?

— Etes-vous dans votre bureau ?

— Oui. En train de regarder par la fenêtre.

— De mon côté ?

— Tout juste. Ça m'arrive souvent, ces derniers temps.

— Ne bougez pas, j'arrive. Surtout, restez où vous êtes. Est-ce bien clair ?

— C'est même transparent... comme mon cadeau !

Stefano souriait lorsqu'il reposa le téléphone. Sa future femme paraissait quelque peu excédée. C'était là un spectacle inhabituel, qu'il avait hâte de contempler à son aise.

Il n'eut pas à attendre longtemps. Ne tenant aucun compte de l'ordre qu'elle lui avait intimé, il quitta son bureau et se dirigea vers les ascenseurs. Il avait traversé la moitié du couloir quand il entendit le petit « ping » qui annonçait l'arrivée de l'une des cabines. Un « ping » assez agressif pour que l'occupante soit Mlle Wentworth.

Il ne s'était pas trompé. La voix de Pénélope retentit alors qu'il n'avait traversé que la moitié du couloir.

— Ne vous ai-je pas demandé de ne pas bouger, Stefano Salvatore ?

— Bonjour, Pénélope.

Stefano lâcha un soupir. Puisqu'il était là, l'identité de la personne à laquelle elle s'adressait ne faisait aucun doute. Il arriva au moment où elle saisissait Marco par les revers de sa veste. A l'autre bout du couloir, il vit Hannah qui fondait droit sur la jeune femme.

Stefano accéléra l'allure.

— Epargnez-moi vos « Bonjour, Pénélope ». Expliquez-moi plutôt pourquoi vous avez jugé utile de m'envoyer ces sous-vêtements !

Hannah arriva la première. D'un geste courtois mais ferme, elle repoussa Pénélope et passa la main sur les revers légèrement froissés auxquels s'était agrippée sa « rivale ».

— Oui, explique-nous donc cela, Marco, fit-elle d'une voix douce. J'aimerais savoir pourquoi mon mari offre de la lingerie à une autre qu'à sa femme...

— Marco... ? répéta Pénélope, médusée. Vous... êtes Marco ?

— J'en ai bien peur. Mon frère est là, ajouta-t-il en se tournant vers le couloir. C'est celui qui a l'air furieux.

— Oh...

— Si ça ne t'ennuie pas, Marco, je vais régler seul ce petit problème.

D'un geste dénué de tendresse, il prit Pénélope par le bras et s'empressa de rebrousser chemin.

— Ecoutez, il y a une explication logique à ce quiproquo, déclara-t-elle en essayant de lui échapper.

Stefano lui passa alors le bras autour de la taille et continua d'avancer tout en la gardant serrée contre lui. Il la sentit vibrer, et sa colère ne fit qu'augmenter. La façon dont elle réagissait chaque fois qu'il la touchait ne suffisait-elle pas à le différencier de son frère ?

— Une explication logique, répéta-t-il d'une voix tranchante.

Il commençait à avoir une véritable aversion pour le terme « logique ».

— Logique, bien sûr ! J'ai bien peur que l'explication en question ne vous permette pas de vous en tirer aussi facilement, cette fois !

— Ecoutez...

— Pas maintenant.

Quelque chose dans le ton sur lequel il s'était adressé à elle l'incita à ne pas insister. Dès qu'ils furent dans son bureau et qu'il eut refermé la porte derrière eux, il la lâcha.

Pénélope s'éclaircit la voix.

— Le moment ne me paraît pas des plus choisis pour me plaindre de votre cadeau...

— Vous nous avez encore confondus, Marco et moi.

— Eh bien... oui. A vous entendre, on imaginerait que c'est un comportement délibéré de ma part. Comme je pense vous l'avoir déjà dit, vous êtes identiques !

— Ce sera difficile de faire croire aux gens que vous êtes follement amoureuse de moi, si vous passez votre temps à nous prendre l'un pour l'autre !

— Peut-être que si vous portiez des badges avec vos prénoms...

— Je n'ai aucune envie de rire !

La jeune femme écarta les bras en un geste d'impuissance.

— Je ne sais que vous dire, fit-elle avec un soupir. Je suis désolée...

— Ça ne change rien à la situation. Nous aurons du mal à convaincre tout le monde que nous nous aimons si vous vous obstinez à vous jeter dans les bras de mon frère !

— Avez-vous une quelconque suggestion, pour éviter que cela se reproduise ?

— J'en ai une, en effet.

Les yeux plissés, il franchit la faible distance qui les séparait et l'enlaça. Elle se raidit, prête à le repousser, mais dès qu'il s'empara de ses lèvres elle sentit un délicieux frisson la parcourir et s'abandonna à cette étreinte fougueuse.

6.

Pénélope eut l'impression d'être happée par un tourbillon qui l'emportait loin, très loin de ce monde raisonnable dans lequel elle vivait depuis si longtemps. Ce monde où régnait la logique. Car il n'y avait rien de logique dans la façon dont elle répondait au baiser de Stefano, pas plus que dans sa manière de se serrer contre lui, vibrant à la moindre de ses caresses.

Le désir qui montait en elle était identique à celui de Stefano, elle en était certaine. Elle sentait son souffle brûlant sur son visage, sa nuque. Ce n'est que quand il commença à déboutonner son chemisier de soie qu'elle trouva en elle la force de réagir. Avant qu'il ne soit trop tard.

— Stefano... je pense qu'il est préférable que nous en restions là, chuchota-t-elle d'une voix altérée.

— Pourquoi ? La porte est fermée. Personne ne peut nous déranger.

La jeune femme avala sa salive.

— Je ne crois pas que ce soit ce que nous voulions...

— J'ai bien peur que si, justement.

— Bon... Dans ce cas, ce n'est pas ce que nous devrions vouloir. D'ailleurs, ce n'était pas le but de cet exercice !

Les mains posées sur ses épaules, il l'observa avec un sourire narquois.

— Pénélope est de retour !

— Je le crains..., répondit-elle en fronçant le nez.

— Espérons que ce petit exercice — pour reprendre votre propre terme ! — portera ses fruits, et que vous serez dorénavant capable de me distinguer de mon frère...

Il s'écarta d'elle et reboutonna lentement son chemisier. Ces gestes intimes firent à Pénélope l'effet d'une caresse. Juste ciel, auprès de cet homme elle perdait la tête ! Si elle ne parvenait pas à se maîtriser...

Mais il avait raison. La « démonstration » à laquelle elle avait eu droit l'aiderait sans nul doute à ne plus confondre les jumeaux. Car, comme il le lui avait expliqué avec humeur, ce genre d'incident risquait d'éveiller les soupçons autour d'eux et de réduire tous leurs efforts à néant.

— Ainsi donc, reprit-il, sans se départir de son sourire goguenard, les baisers que nous venons d'échanger ne seraient pour vous qu'un « exercice » ? Permettez-moi de ne pas en être si sûr. Je suis certain que vous souhaitez davantage. Moi oui, en tout cas.

La jeune femme sentit la panique la gagner.

— C'est impossible, voyons. Ce n'est pas du tout ce qui avait été convenu entre nous.

— Supposons que j'aie changé d'avis ? D'après les rumeurs qui courent sur mon compte, je ne serais pas un homme fiable, vous le savez bien !

Elle balaya cet argument d'un geste de la main.

— Est-ce... vrai ? Vous auriez changé d'avis ?

— Soyez honnête, Nellie. Croyez-vous que nous puissions vivre ensemble pendant des mois sans franchir une autre étape dans notre relation ?

Elle cligna des paupières.

— Nous devrions donc faire l'amour parce que c'est inévitable, c'est ça ?

— Non. Parce que nous en avons tous les deux envie.

S'efforçant de recouvrer un semblant de dignité, Pénélope rejeta ses cheveux en arrière.

— Je n'ai jamais dit que j'avais envie de faire l'amour avec vous. Nous nous sommes embrassés. C'était... agréable. Point final.

— Agréable ?

Elle n'aurait peut-être pas dû qualifier ainsi leur étreinte passionnée. Le mot « agréable » semblait avoir ravivé sa colère. Elle soupira. Les hommes étaient décidément des créatures bien sensibles...

— D'accord. C'était plus qu'agréable, admit-elle. Vous êtes un expert en la matière. Mais il n'y a tout de même pas de quoi considérer cela comme un événement majeur de notre existence ! Je suis certaine que vous avez embrassé bon nombre de femmes sans avoir pour autant ressenti le besoin de les emmener dans votre lit.

Elle leva la main vers son visage, prête à remonter ses lunettes, et s'aperçut alors qu'elle ne les portait plus.

— Je me trompe peut-être ? ajouta-t-elle.

— Non, vous ne vous trompez pas. Mais avec vous, c'est différent.

Avant qu'elle n'ait le temps de réagir, il la prit de nouveau dans ses bras et chercha ses lèvres, qu'il pressa sous les siennes, en un geste aussi ardent que possessif. Pas plus cette fois que les précédentes, elle ne trouva la force de lui résister. Dès qu'il la touchait, elle oubliait le reste du monde pour se laisser emporter par ce tourbillon de sensations folles.

Lorsqu'il s'écarta enfin d'elle, Pénélope se sentit vaciller.

— Alors ? Penses-tu toujours que ce baiser était « agréable », sans plus ?

Le tutoiement était venu tout naturellement aux lèvres de Stefano. Et, après les moments intenses qu'ils venaient de partager, il ne choqua guère la jeune femme.

— Persistes-tu à croire que notre mariage ne sera rien de plus qu'un arrangement ? L'idée ne te plaît peut-être pas, Nellie, mais ce qui se passe entre nous est inéluctable. Si tu as envie de lutter contre, lutte, *cara*. Je suis

86

quant à moi convaincu que cela ne servira pas à grand-chose. Aussi résolue et logique sois-tu, cela n'y changera rien.

— Tu te trompes ! riposta-t-elle. Je n'ai pas pour habitude de me laisser dominer par mes émotions.

Son sentiment de frustration augmenta quand elle le vit sourire.

— Continue à t'en persuader, si cela te fait plaisir.

— Je n'ai pas à me persuader de quoi que ce soit. C'est toi, qui as besoin de comprendre.

Il fallait qu'elle se dépêche de quitter les lieux, sans quoi elle céderait à ces émotions qu'elle avait niées de façon si véhémente.

— Si tu as la gentillesse de me rendre mes lunettes — qui doivent bien être quelque part ! — je pense que je vais partir. Nous nous sommes dit tout ce que nous avions à nous dire.

— Pour l'instant, murmura-t-il en balayant la pièce du regard.

Une lueur amusée dansait dans ses yeux de braise.

— Finalement, nous pouvons nous féliciter de ne pas avoir atterri sur mon canapé !

Elle le fixa, interloquée.

— Pour un motif autre... que celui qui me paraît évident ?

— Tu veux dire, pour y faire l'amour, je suppose ? Eh bien, oui, pour un autre motif !

Il avança vers le sofa, puis revint vers Pénélope en tenant délicatement ses lunettes entre les doigts.

— Voici, mademoiselle Wentworth. Désolé. Je ne sais vraiment pas où j'avais la tête...

— Merci, marmonna-t-elle.

Comme elle s'apprêtait à tourner les talons, il vint se placer en face d'elle.

— Il me semble que tu es venu me voir pour discuter d'un sujet précis ?

La jeune femme se mordit la lèvre. Comment avait-elle pu oublier l'objet de sa visite ?

— Tu as raison. Pour en revenir à ce cadeau...

— Il ne t'a pas plu?

— Ce n'est pas cela...

— La couleur, peut-être?

— Non plus. J'aime beaucoup les tons ivoire, en général. Ce serait plutôt...

— Je vois. J'ai dû me tromper de taille, fit-il en l'enveloppant tout entière d'un regard aussi scrutateur que caressant.

— La taille me convient très bien. Et cesse de me regarder de cette façon!

— Quelle façon? fit-il d'un air innocent. Mais peu importe. Si la couleur te plaît, que la taille est la bonne... je ne comprends pas bien où est le problème.

— Non? Eh bien, je vais te l'expliquer! fulmina-t-elle, les poings sur les hanches. Les fiancés ne s'offrent pas des cadeaux aussi suggestifs. Voilà où est le problème, Stefano Salvatore. Ils se bornent à envoyer des fleurs, des confiseries, des livres... Pourquoi diable a-t-il fallu que tu choisisses, toi, des sous-vêtements de soie et de dentelle?

Il secoua la tête et soupira tristement.

— J'ai bien pensé aux fleurs et aux confiseries, mais vu que nous avions décidé de faire croire aux gens que nous étions victimes d'un coup de foudre... j'ai trouvé plus judicieux d'opter pour de la lingerie. Tout se déroulait d'ailleurs plutôt bien, jusqu'au moment où tu as agressé mon frère.

— Tu m'avais promis de me laisser mener cette affaire à ma guise!

— Pas du tout. J'ai consenti à ce que tu t'occupes de tout quand nous serions mariés, mais il n'a jamais été question que tu gères nos fiançailles. Regarde un peu les choses en face, Nellie. Maintenant que tu as sauté sur mon frère — devant témoins! — en lui reprochant de t'avoir offert des sous-vêtements, il va falloir que nous mettions les bouchées doubles pour convaincre les gens que nous nous aimons passionnément.

Pénélope pinça les lèvres, puis baissa les yeux sur elle et sourit.

— Ce ne sera peut-être pas nécessaire, vu l'état de mon chemisier. Et j'imagine que je ne donne pas non plus l'impression de sortir de chez le coiffeur !

— Tu es magnifique, comme ça, déclara-t-il d'une voix grave.

— Ne changeons pas de sujet, Stefano Salvatore ! Tu n'es pas obligé de me faire crouler sous la lingerie de luxe pour que les gens aient de nous l'image d'un couple parfait.

— Tu veux des cadeaux plus classiques ? Parfait. Tu les auras. Mais tu ne pourras pas m'empêcher de froisser tes chemisiers. Pas seulement par devoir, mais aussi par plaisir !

Ces propos lui valurent un regard glacial de la jeune femme, qui, à court d'arguments, se dirigea vers la porte. Comme elle traversait le couloir d'un air digne, diverses répliques qu'elle aurait pu asséner à Stefano lui traversèrent l'esprit. Elle se promit de noter tout ce qu'elle avait à lui dire la prochaine fois qu'elle viendrait le voir !

Après avoir appelé l'ascenseur, elle lança un regard consterné à son chemisier tout fripé. Pourquoi avait-il fallu qu'elle mette autant d'ardeur à répondre à ses étreintes ? Se maudissant intérieurement, elle appuya à plusieurs reprises sur le bouton. Où diable était cet ascenseur, à présent ?

— Pressée de partir ?

Elle pivota sur ses talons et se retrouva face à Stefano.

— Ah, de grâce ! Je pense que ça devrait suffire pour aujourd'hui !

— Pardon ?...

— Epargne-moi tes regards innocents !

En attendant l'ascenseur, elle pourrait peut-être le gratifier de l'une de ces remarques qui lui étaient tout récemment venues à l'esprit.

— Tu as l'air de penser qu'il suffit que tu me touches

pour que je perde tous mes moyens. Eh bien, tu te trompes ! Et en voici la preuve.

Elle fondit alors droit sur lui, lui passa les bras autour du cou et l'embrassa sur la bouche. Puis elle s'écarta de lui avant de ressentir dans tout le corps ces délicieux fourmillements qui l'empêchaient de réagir. Fourmillements qu'elle n'avait d'ailleurs pas ressentis, cette fois.

Remontant ses lunettes sur son nez, elle le toisa.

— Alors ? Tu vois bien ? Rien. Pas la moindre petite onde de plaisir !

— Ravi de l'entendre !

La voix grinçante qui venait de retentir juste derrière elle la fit tressaillir.

— Je trouverais fâcheux que ma future femme prenne plus de plaisir à embrasser mon frère qu'elle n'en prend à m'embrasser, moi !

Oh, non ! Pas cette fois encore...

Pénélope hasarda un regard par-dessus son épaule et réprima un gémissement. Stefano n'avait pas l'air content. Pas content du tout, même. Ils allaient avoir une autre dispute, qui ne se terminerait sans doute pas comme la précédente. A son grand soulagement, le « ping » de l'ascenseur retentit et les portes de la cabine s'ouvrirent. Elle s'y engouffra puis pressa aussitôt le doigt sur le bouton du rez-de-chaussée.

— Je n'ai qu'une chose à dire, Stefano Salvatore, déclara-t-elle au moment où les portes commençaient à se refermer.

— Laquelle ?

Sa voix lui fit l'effet d'un couperet.

— Je ne peux que me réjouir que votre mère ait mis au monde des jumeaux... pas des triplés !

Le cadeau de Pénélope à Stefano arriva en fin de journée.

— Tu ne l'ouvres pas ? demanda Marco à son frère.

Stefano examina le paquet d'un œil suspicieux.

90

— J'en ai presque peur...

— Tu crois qu'elle se venge de ce que tu lui as envoyé ?

— Sans l'ombre d'un doute !

— Allez, dépêche-toi ! Il me tarde de voir ce que contient cette boîte, insista Marco, l'œil rieur.

Son frère s'exécuta à contrecœur. Quelques minutes plus tard il observait, les sourcils levés, les divers objets étalés sur son bureau. Marco, lui, ne cherchait pas à cacher son hilarité face au porte-clés en argent, l'épingle de cravate, le stylo, le porte-documents, les bretelles, et pour finir, un boxer-short... le tout avec son nom inscrit en grosses lettres !

Il ne fut pas long à se dérider, et, dans un éclat de rire, déclara :

— Il semblerait finalement que Nellie ne soit pas dénuée d'humour !

Ce qui n'était pas pour lui déplaire. Il ne s'imaginait pas avoir une relation avec une femme incapable de pratiquer la dérision.

— Très bien, conclut-il avec un sourire satisfait. Je lui ai promis un cadeau classique. Elle l'aura !

7.

Le cadeau en question fut livré le lendemain matin dans le bureau de Pénélope. Dès qu'elle ouvrit la boîte, la jeune femme ressentit une bouffée d'amour, réaction tout à fait rationnelle et logique à ce que contenait ladite boîte. Ce fut toutefois ce dont elle tenta de se convaincre...

— Il n'en est pas question ! Je te l'interdis ! grommela Stefano.

Pénélope écarquilla les yeux.

— Tu viens bien d'utiliser le terme « interdire » ?

— Absolument ! Ce chat restera ici, dans mon appartement, pendant que nous irons à ce bal.

Il lança un regard sévère à l'adorable chaton blanc qu'il avait récemment offert à Pénélope, et qui avait très vite compris qu'en miaulant de façon pathétique il pouvait obtenir tout ce qu'il voulait.

— L'un des avantages de vivre au dernier étage de l'immeuble des Salvatore, est que cet animal ne soit pas trop éloigné de toi.

— Oui, mais...

— L'un des inconvénients, est que ma famille sait toujours où me trouver. Ce qui me rappelle que, dans la mesure où je suis l'un des hôtes de cette soirée, il me reste exactement...

Stefano baissa les yeux sur sa montre en grimaçant avant de finir sa phrase :

— ... quinze minutes pour descendre, sans quoi je déshonorerai les miens.

Le déshonneur, voilà bien quelque chose dont les Salvatore n'avaient nul besoin ! Pénélope n'avait-elle pas délibérément baptisé ce chat Intègre afin de prouver une fois de plus à Stefano qu'elle croyait en son honnêteté ?

— Je pensais que le ravissant panier en osier que tu m'as offert pour Intègre devait me permettre de l'emmener avec moi...

— Il te permet en effet de lui faire traverser la rue qui sépare l'immeuble de Crabe de celui des Salvatore, ce que tu viens d'ailleurs de faire. Mais il n'a jamais été question que cet animal nous accompagne partout ! Un peu de sérieux, voyons, Nellie..., déclara-t-il en s'engageant dans le couloir. Ce chat sera très bien ici ! Compte tenu de tout ce que tu lui as acheté dans ce magasin d'articles pour animaux domestiques, je serais surpris qu'il manque de quoi que ce soit !

Cette dernière remarque lui valut un regard noir de la jeune femme.

— Dois-je interpréter cela comme une critique ?

— Du tout, mon cœur. Je suis enchanté que tu aies décidé d'acheter à ce chat les derniers gadgets parus sur le marché.

— Halte aux sarcasmes, Stefano Salvatore ! Cette fois tu ne t'es pas trompé en choisissant un cadeau. J'adore Intègre. Il occupe une place particulière dans ma vie. C'est la première fois que j'ai un animal domestique.

— Le moment me paraît choisi pour te signaler que tu as réagi de façon tout à fait exagérée aux cadeaux que je t'ai offerts.

L'air guindé, Pénélope remonta sur son nez la paire de lunettes papillon, à fine monture de métal ouvragé, qui lui avait été livrée le matin même avec une petite note de Stefano : « Mieux vaut avoir quelques paires de rechange. On ne sait jamais... »

Ces lunettes, jolies et féminines, ne lui semblaient toutefois pas très adaptées à l'image de la femme d'affaires sérieuse qu'elle voulait donner d'elle. Elles faisaient partie du lot de six paires qui lui étaient parvenues ce jour-là.

— Je dois avouer que tu te montres très prévenant dans le choix de tes cadeaux, et qu'il est donc logique que je te manifeste ma gratitude.

— Tu as bien dit, gratitude? Curieux. Ce n'est pas le terme que j'aurais choisi pour qualifier ce qu'il m'a semblé déceler en toi, le jour où tu as reçu les sous-vêtements...

— Stefano Salvatore!

— N'en parlons plus, *cara*, fit-il en l'embrassant dans le cou.

Pénélope dut se maîtriser pour ne pas se réfugier contre lui, et se félicita que l'ascenseur arrive à ce moment-là. Décidément, les réactions que suscitait en elle cet homme étaient des plus troublantes. Affolantes, même. Il fallait pourtant que sa relation avec Stefano ne dépasse pas un certain cadre. Elle n'avait pas le droit de s'égarer, car elle savait qu'elle commettait de terribles erreurs de jugement lorsqu'elle se laissait guider par ses émotions. Ce qu'elle ne pouvait pas se permettre dans les circonstances actuelles.

L'ascenseur ralentit, et les portes s'ouvrirent sur le grand salon de réception, situé au premier étage de l'immeuble des Salvatore. La jeune femme leva alors les yeux vers son compagnon.

— A propos de cadeaux... j'en ai justement un autre pour toi.

— Ah? Et où est-il?

— Au rez-de-chaussée. Dans l'entrée. Tu préfères le voir maintenant ou plus tard?

— Je pense que nous avons deux minutes devant nous.

Ils empruntèrent le large escalier en marbre gris qui menait au rez-de-chaussée, où ils rencontrèrent les premiers convives qui arrivaient.

— J'aime beaucoup la statue en bronze, déclara un homme d'une cinquantaine d'années en serrant la main de Stefano. Elle fait passer un message très clair.

L'homme s'était déjà éloigné quand Stefano se tourna vers Pénélope.

— La statue en bronze? répéta-t-il, étonné.

— Viens.

Elle le prit par le bras et le guida jusqu'à l'entrée, où trônait un bronze de près de deux mètres de haut. Stefano ralentit dès qu'il l'aperçut, et s'arrêta à quelques pas de la statue, qu'il examina longtemps en silence. Si longtemps, que Pénélope se demanda si son choix était vraiment le bon.

— C'est... Don Quichotte, fit-elle d'une voix tendue.

Après en avoir discuté avec Luc, elle avait demandé au livreur de la placer à l'entrée de l'immeuble, où il jouait le rôle de majordome, accueillant tous ceux qui se rendaient chez les Salvatore.

— Je vois.

— Je l'ai toujours considéré comme un symbole des causes perdues.

Il serra les mâchoires.

— Parce que je suis une cause perdue? Ou plutôt parce que j'en défends une?

— Ni l'un ni l'autre.

Elle le rejoignit et le prit par la main. Au lieu de s'écarter d'elle, comme elle le craignait, il enserra ses doigts dans les siens.

— Tu te bats contre des forces supérieures, sachant que tu as peu de chances de remporter le combat. Mais tu n'abandonnes pas pour autant, parce que c'est ce que tu dois faire. Tu as opté pour la solution la plus honorable.

— Honorable...? répéta-t-il d'une voix à peine audible.

— Pourquoi affiches-tu toujours un air aussi étonné, quand je dis cela? Tu es un homme droit et intègre, Stefano.

Elle se blottit contre lui, et éprouva une profonde sensation de bien-être lorsqu'il lui passa le bras autour des épaules. Avait-il seulement conscience d'être si droit, si généreux? Se doutait-il que c'étaient là des valeurs très rares, dans le monde des affaires où ils évoluaient?

— J'ai choisi Don Quichotte parce que j'ai pensé qu'il pourrait nous aider à lutter contre quelques moulins à vent.

— Nellie...

La façon dont il prononça son nom lui fit l'effet d'une douce caresse. Savait-il à quel point il l'attirait ? A quel point elle...

— Etes-vous vraiment décidée à gâcher votre réputation, mademoiselle Wentworth ? Ce serait dommage.

Elle se retourna, surprise par cette voix métallique qu'elle avait déjà entendue, et se trouva face à face avec Cornell. A côté d'elle, Stefano s'était raidi. Elle lui passa un bras autour de la taille et lui chuchota à l'oreille :

— Ne mords pas à l'hameçon...

— Difficile de résister à la tentation ! marmonna-t-il.

Mais la jeune femme prit aussitôt la parole, ne lui laissant pas le temps d'intervenir.

— Et comment gâcherais-je ma réputation, monsieur Cornell ?

— En vous obstinant à défendre les Salvatore au lieu de vous écarter de leur voie, qui est celle de l'autodestruction.

Pénélope rit de bon cœur.

— J'aime bien tenter ma chance. Surtout quand je suis quasiment sûre d'avoir bien misé !

— A l'inverse de l'ex-fiancée de Salvatore, il semblerait que vous soyez une femme exceptionnelle.

Cornell se tourna alors vers Stefano.

— Kate, elle, a préféré retirer son épingle du jeu, n'est-ce pas ?

— Avec votre aide !

— Je ne le nierai pas. Quoique, après avoir été prêt à entendre le pire à votre sujet, j'aie été bien obligé d'admettre que je ne pouvais pas lui faire confiance. Mais en vous quittant, elle démontrait à tout un chacun qu'elle vous croyait coupable, et c'était là tout ce qui m'intéressait.

Il eut alors un sourire que Pénélope jugea détestable, et ajouta :

— Malheureusement, me débarrasser d'elle s'est ensuite révélé... gênant.

— La prochaine fois, je vous suggère d'éviter de rompre en public, observa Stefano d'un ton sec.

Cornell haussa les épaules.

— Que voulez-vous, la vie est jalonnée d'incidents de ce genre.

Balayant ledit incident d'un geste de la main, il reporta son attention sur Pénélope.

— Il y a quelque chose que je souhaitais vous demander, mademoiselle Wentworth. Vous m'avez dit que vous étiez tous les deux fiancés, et je ne garde pas le souvenir d'avoir lu ou entendu quoi que ce soit d'officiel à votre sujet. J'espère qu'il n'y a aucun problème ? Mais vous n'êtes peut-être plus disposée à vendre Janus aux Salvatore ?

— Notre relation est encore officieuse, monsieur Cornell. J'espère que vous êtes flatté d'être parmi les premiers à en être informé ?

— Je ne vois toujours pas de bague, insista-t-il, les yeux rivés sur les mains de la jeune femme. Seriez-vous revenue sur votre décision ?

— Nellie fêtera son anniversaire la semaine prochaine, déclara Stefano d'un ton cinglant. La bague sera justement son cadeau.

— Merci beaucoup d'avoir gâché l'effet de surprise, monsieur Cornell !

Il haussa de nouveau les épaules, et se tourna vers la statue en bronze, qu'il examina d'un œil goguenard.

— La statue ternie d'un homme à l'esprit peu réaliste, luttant pour des causes perdues... Ce choix me semble des plus adéquats !

Sentant le danger arriver, Pénélope s'interposa aussitôt entre Stefano et Cornell.

— Ce n'est pas en te battant avec lui que tu résoudras le problème ! lança-t-elle.

— Peut-être, mais ça me fera un bien fou ! Allez-y, Cornell, ne vous privez surtout pas. Dites un mot de plus, un seul, pour que j'aie le plaisir de vous administrer la correction que vous méritez !

Cornell tendit les deux bras en avant.

— Merci, ça ira comme ça. Pour vous prouver ma générosité — ainsi que ma clémence ! — j'ai déjà songé à votre cadeau de mariage. Je ferai en sorte que vous le receviez le jour J.

La jeune femme le fixa, le menton relevé en un geste de fierté.

— Nous préférons ne recevoir aucun cadeau de votre part.

— Je n'en doute pas. Mais que cela vous plaise ou pas, vous l'aurez.

Puis, avec un grand sourire, il inclina légèrement la tête.

— J'espère que vous ne m'en voudrez pas si je vous fausse compagnie. Je ne voudrais pas décevoir la personne qui m'a invité ce soir — pas un Salvatore, bien sûr ! — en arrivant en retard.

Sur ce, il s'éloigna. Les poings serrés, Stefano le suivit du regard.

— Je me demande lequel de nos collaborateurs a pu commettre la bévue d'inviter ce sale type ! grommela-t-il. Quand je pense que tu envisageais de l'épouser...

— Ne m'en parle pas ! Heureusement, le bon sens l'a emporté.

— Permets-moi de rectifier : heureusement, je t'ai mise en garde contre ce sinistre individu, et je suis entré en scène avant que l'irréparable ne soit commis !

Elle lui sourit.

— Je te concède que ta version est plus proche que la mienne de la réalité ! Mais pour en revenir à cette statue, est-ce qu'elle te plaît ?

— Non.

— Non ?..., répéta-t-elle, effarée.

— Elle ne me plaît pas... je l'adore !

Il s'empara de ses lèvres en un baiser bref mais fougueux.

— Ce Don Quichotte représente pour moi bien plus que tu ne peux imaginer. Un jour je te revaudrai cela.

— Je ne veux rien en échange, Stefano. Ce n'est certainement pas dans ce but que je te l'ai offerte.

98

Il l'enveloppa d'un long regard.

— Je sais pourquoi tu l'as choisie. Peut-être mieux que toi, même. Et cette générosité mérite quelque chose en retour, *cara mia*. Je t'offrirai ce que tu m'as offert.

Sur ces paroles énigmatiques, il la prit par la taille et la guida jusqu'à la salle de bal.

Stefano sortit en trombe de l'ascenseur, avec la ferme intention de mettre un peu de plomb dans la cervelle de sa fiancée. Il n'avait pas fait plus de quatre pas dans le couloir que Loren se matérialisa devant lui. Bien que tenté de poursuivre son chemin, Stefano s'arrêta, conscient que cela relevait de l'impossible.

— Bonjour.

Loren accompagna ce salut de ce genre de sourire qu'ont les gens quand ils savent qu'ils devraient se souvenir de la personne qui se trouve en face d'eux, mais n'y parviennent pas.

— Nous nous connaissons, n'est-ce pas ? enchaîna-t-il.

— Stefano Salvatore, fit ce dernier en tendant la main au P.-D.G. de Crabe & Associés.

Il se prépara au mouvement de recul qu'avaient depuis quelque temps les gens en entendant son nom, mais à sa grande surprise, Loren n'eut pas du tout ce genre de réaction. Au lieu de cela, il prit la main tendue vers lui et fronça les sourcils, songeur.

— Votre nom m'est familier, mais j'ai bien peur de ne pas vous remettre...

Stefano se détendit légèrement.

— Ma famille possède une grosse entreprise d'import-export. Notre immeuble se trouve juste en face du vôtre, de l'autre côté de la rue.

— Oh, oui, bien sûr ! Vous avez la réputation d'obtenir tout ce que les autres voudraient. En y mettant le prix, sans doute, conclut Loren d'un air entendu.

— J'ai découvert qu'il y a toujours un prix à payer quand on est résolu à avoir quelque chose.

— Ce n'est pas moi qui prétendrai le contraire. Mais dites-moi, Stefano, qu'est-ce qui vous amène de ce côté de la rue ? Puis-je vous être utile ?

— Je suis venu voir votre nièce.

— Ah... Pour discuter affaires, je suppose ?

— Non. Il s'agit d'une visite personnelle.

Il était temps de jouer cartes sur table.

— Nous sortons ensemble depuis quelque temps, Nellie et moi. Mais elle vous l'a peut-être dit ?

— Nellie... Joli petit nom. Pour ne rien vous cacher, Stefano, je suis certain qu'elle m'a parlé de vous. Et je suis certain aussi de ne pas avoir prêté à ce sujet l'intérêt qu'il méritait.

Loren prit un air consterné.

— Voilà ce qui se passe quand on prête davantage attention aux affaires qu'à sa famille ! Et... votre relation dure depuis longtemps ?

— Un petit moment. Nous avons eu, je crois, ce qu'on appelle un coup de foudre.

— Un coup de foudre..., répéta Loren, sans prendre la peine de cacher sa surprise. Avec notre Pénélope ?

Stefano éclata de rire.

— Je pense qu'elle ne s'y attendait pas, elle non plus.

— Eh bien, il ne me reste plus qu'à vous souhaiter bonne chance. Pénélope est un être spécial, comme vous l'avez sans doute constaté.

— Très spécial.

— Dans ce cas, je ne vous retiendrai pas plus longtemps, déclara Loren en donnant une petite claque sur l'épaule de Stefano. Je suppose que vous savez où se trouve son bureau ?

— Oui, merci.

Comme son regard se posait sur la porte dudit bureau, il se rappela soudain l'objet de sa visite.

— Si vous voulez bien m'excuser...

Sans attendre de réponse, Stefano reprit son chemin dans le couloir. Il passa à côté de Cindy en lui adressant un bref signe de tête, puis ouvrit la porte du bureau de Pénélope et la referma derrière lui d'un geste sec.

— Donne-le-moi ! lança-t-il sans préambule.

— Je ne sais pas du tout...

Il s'était déjà dirigé vers la fenêtre pour ouvrir les rideaux en grand. Le poster avait disparu.

— Qu'en as-tu fait ?

— Je l'ai déchiré.

— Sûrement !

Comme il faisait volte-face, il aperçut un morceau de papier roulé qui dépassait de derrière le canapé, et fondit droit dessus, comme un aigle sur sa proie.

Pénélope se leva d'un bond et essaya de le devancer.

— Non, Stefano. Attends...

— Il m'appartient. Tu me l'as offert.

— Je ne t'ai pas offert le poster. Seulement les jumelles ! Et c'était une...

Il la repoussa d'une main ferme et déroula le poster.

— ... plaisanterie ? finit-il alors à sa place. Ta façon à toi de te venger de mon premier cadeau ?

— Une plaisanterie, en effet, répéta-t-elle, mal à l'aise. Peut-être pas du meilleur goût, je le reconnais. Et maintenant, rends-moi ce poster, s'il te plaît.

— Pas avant de l'avoir regardé à mon aise.

Tenant toujours la jeune femme à distance, Stefano observa l'objet du délit. Une grande photo en noir et blanc qui représentait Pénélope nue... ou presque. Seuls quelques centimètres carrés de soie et de dentelle ivoire couvraient son corps. Un corps de rêve, il devait l'admettre. Il regrettait seulement de ne pas avoir été le seul à profiter de cette « exposition » !

— Ecoute, Stefano...

— As-tu idée du scandale qu'a causé l'arrivée de ton dernier cadeau ?

— Mais... Comment est-ce possible ? Je me suis bornée à t'envoyer des jumelles.

— Qui sont arrivées au beau milieu d'un conseil d'administration. Faut-il que je te rappelle que j'ai cinq frères ? Il ne leur a pas fallu longtemps pour deviner à quoi étaient destinées ces jumelles !

— Tu ne leur as quand même pas permis de...? Ces jumelles étaient pour toi !

— Désolé de me répéter, Nellie, mais j'ai cinq frères qui, dans certaines circonstances, peuvent être très envahissants. Mais cet incident ne comporte pas que des inconvénients. Dans les jours à venir, tu ne devrais avoir aucun mal à nous distinguer l'un de l'autre, Marco et moi, parce qu'il a un œil au beurre noir !

— Stefano ! s'exclama-t-elle, horrifiée. Tu n'as quand même pas...

— Si. Je considère donc qu'il est grand temps d'annoncer nos fiançailles, qui seront bientôt suivies d'un mariage. C'est le seul moyen de te protéger.

— De me protéger ? répéta-t-elle, interloquée.

— Le premier qui osera faire un commentaire d'un goût douteux devant moi prendra mon poing sur la figure. Je suppose que si tu portes une bague, cela incitera les gens à la pondération.

— Tu te battrais avec quelqu'un, uniquement parce qu'il aurait dit quelque chose de désagréable à mon sujet ?

Stefano baissa les paupières, s'efforçant de contrôler la rage qui montait en lui.

— Tu ne sais pas ce que signifie perdre sa réputation, savoir que les gens tiennent des propos peu élogieux sur toi dès que tu as le dos tourné. Moi si. Et je suis prêt à tout pour que tu ne sois jamais confrontée à pareille épreuve.

— Oh, Stefano..., murmura-t-elle d'une voix empreinte de compassion.

— Je ne veux pas de ta pitié. Ni de celle de quiconque.

— Ecoute... ce n'est jamais qu'une photo un peu... osée. Je ne pense pas qu'elle affecte ma réputation.

— Tu ne comprends donc pas ? En m'épousant, tu deviens déjà aux yeux de certains quelqu'un de suspect. Par respect à l'égard de l'entreprise sérieuse qu'est Crabe, les gens garderont pour eux leurs remarques. Pas tous, néanmoins. Surtout si Cornell décide de s'en mêler. Quand notre relation s'achèvera, je tiens à ce que ta réputation soit intacte. Il est hors de question que notre mariage te porte préjudice.

— Pour en revenir à ce poster, Stefano, tu crois vraiment qu'il pourrait avoir de telles conséquences sur ma réputation ? Tu ne crois pas que tout cela est un peu... victorien ?

— Je préfère ne courir aucun risque. Après notre mariage, ce ne sera plus un problème. Avec un peu de chance, ceux qui sont contre les Salvatore considéreront que c'est ma mauvaise influence sur toi qui t'a poussée à agir ainsi !

Il eut un petit rire sec avant d'ajouter :

— Et ils n'auront pas tort ! Je serais surpris que tu aies eu une idée pareille avec un autre que moi.

A ce moment-là, un coup retentit à la porte, et le visage de Loren apparut dans l'entrebâillement.

— Je ne vous dérange pas ?

— Du tout, oncle Loren, répondit la jeune femme d'un ton chaleureux. Entre donc, et permets-moi de faire les présentations.

Loren traversa la pièce et tendit la main à Stefano.

— Bonjour. Nous nous sommes déjà rencontrés ?

8.

Bien que stupéfait, Stefano fut prompt à se ressaisir et prit la main que lui tendait Loren.

— Stefano Salvatore. Ravi de faire votre connaissance.

— Ce nom m'est familier, observa Loren avec un froncement de sourcils. Mais je ne me rappelle plus où je l'ai entendu...

Stefano lança un regard en coin à Pénélope, et ne fut guère surpris de voir ses traits se crisper.

— Ma famille dirige une entreprise d'import-export. Notre immeuble se trouve juste en face du vôtre.

— Et vous êtes un ami de Pénélope?

— Nous sommes bons amis, en effet.

— Par le biais des affaires? insista Loren.

— Non. Sur un plan personnel.

Loren se tourna alors vers sa nièce et, un sourire aux lèvres, fit mine de la gronder.

— Espèce de petite cachottière!

— Tout s'est passé très vite, oncle Loren, s'empressa-t-elle d'expliquer. Mais nous pourrions dîner ensemble cette semaine afin que vous ayez l'occasion de faire plus ample connaissance, Stefano et toi.

— Excellente idée. Mon Dieu... j'allais oublier! lança-t-il alors en portant une main à son front.

Il posa devant Pénélope un dossier.

— Cindy m'a dit que tu cherchais ces documents. Je me demande bien comment ils ont pu atterrir sur mon bureau. Je suppose que quelqu'un les y a déposés par erreur.

Stefano eu l'impression de voir tous les muscles de la jeune femme se tendre, et éprouva pour elle une brusque bouffée de sympathie.

— Merci de les avoir retrouvés, oncle Loren, murmura-t-elle.

— Je t'en prie. Ravi de vous avoir connu, Stefano. J'espère que nous nous reverrons très bientôt, à l'occasion de ce dîner.

Dès que Loren eut disparu, Stefano vint se placer en face de la jeune femme.

— Tu as peut-être quelque chose à me dire, *cara*?

— Non.

Il remarqua qu'elle évitait son regard, ce qui ne l'étonna pas.

— Tu en es sûre?

— Certaine.

— Je devrais peut-être te dire que nous nous sommes rencontrés, ton oncle et moi, juste avant que j'entre dans ton bureau.

Il garda un instant le silence, afin de laisser à Pénélope le temps de digérer l'information.

— Or, il ne m'a pas reconnu. Et je ne vois à cela qu'une seule explication.

Elle redressa le menton.

— Vraiment? Et quelle est cette explication?

— Ton oncle est le petit problème susceptible de compromettre les intérêts de Crabe & Associés. Que lui arrive-t-il? Il est atteint de la maladie d'Alzheimer? De démence? De sénilité précoce?

— S'il te plaît, Stefano...

— Tu protèges à la fois ton oncle et l'entreprise, en te mariant afin de prendre la direction des affaires. Et tu espères le faire avant que le bruit de sa « fragilité » ne se répande. Est-ce que je me trompe?

— Tu sais bien que je ne peux pas te répondre.

Une fureur irrationnelle s'empara soudain de lui.

— Pourquoi ? Tu as peur que je ne dévoile ton secret à tout le monde ?

Son accent italien résonna plus fort que jamais à ses propres oreilles.

— Après tout, je ne suis jamais que Stefano Salvatore ! Quelqu'un de qui il faut se méfier comme de la peste, n'est-ce pas ?

— Arrête ! s'écria-t-elle d'une voix stridente.

Il comprit alors qu'il l'avait poussée à bout.

— J'ai deux compagnies sous ma responsabilité. Je ne pouvais pas te parler de ce qui arrive à Loren. Je ne pouvais en parler à personne ! As-tu une idée de ce qui se produirait si cela se savait ?

— Oui. Les valeurs de Crabe plongeraient de façon vertigineuse. Et vous commenceriez aussi à perdre des contrats.

— Exact. Ce n'est pas mon propre sort qui me préoccupe mais celui de tous nos employés, de tous ceux dont l'avenir dépend de la bonne marche de nos entreprises. Leur intérêt doit passer avant le mien. Ce n'est pas par manque de confiance en toi que j'ai gardé le silence, Stefano.

— Et maintenant que me voici au courant ?...

Pénélope balaya cette remarque d'un geste de la main, comme si elle n'avait pas la moindre importance.

— Je ne suis pas stupide. Je sais bien que tu te tairas.

— Je te trouve bien sûre de toi. Ou plutôt de moi...

— Absolument. Sûre, au point d'affirmer que tu n'en parleras pas même à ta famille alors que, d'après ce que j'ai cru comprendre, vous n'avez aucun secret les uns pour les autres. Et, en supposant que tu décides finalement de prendre tes frères pour confidents, je suis prête à parier que l'information ne dépassera pas les limites du clan Salvatore.

L'assurance qu'elle affichait plut à Stefano. Sans doute

parce qu'elle n'était pas fondée sur un raisonnement logique, mais sur son instinct. Elle lui plut surtout parce que cela prouvait que la jeune femme avait en lui une confiance presque aveugle.

— Il est préférable qu'ils n'en sachent rien, déclara-t-il.

Pénélope hocha la tête.

— Moins il y aura de gens au courant de ce problème, moins la nouvelle aura de chances d'être divulguée. J'ai eu assez de mal jusqu'ici à étouffer l'affaire.

Il n'en doutait pas.

— Si j'ai bien compris, nous allons nous marier, ce qui signifie que tu prendras pleinement possession de ton héritage et que tu occuperas le fauteuil de P.-D.G. Et ensuite ?

— Quand j'ai frappé à ta porte pour te proposer le mariage, tu as cru que j'étais assoiffée de pouvoir. C'est faux. Je ne tiens pas à diriger ces entreprises. Je veux au contraire m'en débarrasser.

Choqué par ce qu'il venait d'entendre, Stefano écarquilla les yeux.

— Nellie...

— C'est décidé, je vais vendre Crabe. Je suis tout à fait consciente de mes propres limites. Je n'ai pas les qualités requises pour succéder à mon oncle.

— Et qu'envisages-tu de faire, par la suite ?

— Le monde des affaires me plaît, et, compte tenu de mon expérience dans ce domaine, j'imagine que je n'aurai aucun mal à trouver un emploi intéressant chez l'un de nos concurrents. Mais rien ne presse. Les bénéfices de la vente me permettront de réfléchir tranquillement à mon avenir. La plus grosse somme d'argent ira cependant à Loren. Dans la mesure où ce sont mon père et lui qui ont fait de Crabe une entreprise d'envergure, je considère qu'il l'a plus que mérité.

— Si c'est là ce que tu souhaites, je ne peux qu'approuver ta décision. J'ajouterai toutefois qu'il me semble regrettable que cette affaire passe entre des mains étrangères, après toute l'énergie qu'ont dépensée les Wentworth pour la bâtir.

Il se rapprocha de la jeune femme et lui souleva le menton.

— Depuis quand assumes-tu seule ce problème?

Pénélope baissa les épaules en un geste de lassitude, et soupira.

— J'ai commencé il y a un an à remarquer des petites failles dans le comportement de Loren, mais je n'y prêtais aucune attention. Jusqu'au jour où il a commis une importante erreur de gestion. A partir de ce moment-là, il m'a été impossible de continuer à pratiquer la politique de l'autruche. Le mois dernier, je lui ai suggéré de vendre Crabe.

— Je suppose qu'il a refusé?

— Il m'a répondu qu'il ne voulait pas en entendre parler. Je pense qu'il a peur. Accepter de vendre équivaudrait à accepter sa maladie, et il n'est pas prêt à le faire.

Elle soupira de nouveau et esquissa un pauvre sourire.

— Le besoin de diriger doit être une tare héréditaire...

— Comment réagira-t-il quand tu lui succéderas?

— Il n'aura pas le choix. Il me maudira sans doute, mais au fond de lui, je crois qu'il sera soulagé.

Stefano se tut pendant quelques instants, le temps d'examiner les différentes options qui s'offraient à eux. Il n'y en avait cependant qu'une.

— Tu es consciente, j'imagine, que notre mariage est impératif à présent. Si les gens commencent à remarquer que Loren a une attitude bizarre, vous ne serez jamais en mesure de vendre Crabe à un prix correct.

— Je le sais bien...

Il plongea la main dans sa poche et en sortit un petit écrin de velours grenat.

— Je promène cette boîte avec moi depuis quelques jours, attendant le moment propice. Je crois que ce moment est arrivé.

Il ouvrit l'écrin et en sortit une bague, qu'il glissa à l'annulaire de Pénélope. Il s'agissait d'un rubis et d'un diamant montés ensemble pour former un cœur.

— Veux-tu m'épouser, Nellie ?

— Oh, Stefano... Cette bague est superbe. Le rubis est justement ma pierre fétiche.

— Je le savais. Et la mienne, le diamant. C'est bien pour cela que je n'ai pas hésité quand le bijoutier m'a présenté ce modèle.

Sa voix se fit plus profonde tandis qu'il ajoutait :

— Il m'a en outre appris que le rubis signifie dévotion et intégrité, et que le diamant est symbole d'invincibilité et porte chance. Je ne puis qu'espérer qu'il ne se trompe pas...

— Nerveuse ?

Pénélope lança un regard à la porte derrière laquelle les attendait le juge.

— Un peu, admit-elle. Mais je suis ravie que nous nous mariions ici, à San Francisco, au lieu d'aller à Las Vegas.

— Moi aussi. Nous pourrons ainsi retourner à mon appartement pour notre nuit de noces.

Leur nuit de noces... D'un geste nerveux, Pénélope tira sur son boléro de soie grège, orné de minuscules perles, qu'elle portait sur une jupe droite arrivant à la cheville. Elle avait préféré cette tenue à la traditionnelle robe de mariée, qui ne lui semblait guère adaptée à la circonstance.

— Très bonne idée, dit-elle néanmoins. Ainsi, Intègre sera avec nous.

— Bien sûr, le chat, grommela-t-il. Exactement ce dont je rêvais pour mon voyage de noces !

— Ce n'est pas un voyage de noces, c'est...

— ... une nuit de noces. Du pareil au même !

Elle préféra garder le silence. Le regard intense dont l'enveloppa alors Stefano la mit mal à l'aise.

— J'ai apporté quelque chose pour t'aider à te détendre, mais j'ai la désagréable impression que ce cadeau aura sur toi l'effet inverse...

Il prit une petite boîte dans laquelle était plié un voile ancien, court, en dentelle ouvragée ivoire.

— Mais... Stefano..., balbutia-t-elle, émue, tandis qu'il posait ce voile sur ses cheveux relevés en chignon.

— Mon arrière-grand-mère était originaire de Burano. C'est elle-même qui a confectionné ce voile pour le mariage de ma mère. Aucune de mes belles-sœurs n'a eu l'occasion de le porter. Les mariages de mes frères étaient... peu conformistes. Tu seras donc la première.

Il en coûta à Pénélope de s'exprimer d'un ton normal, mais elle y parvint.

— Notre union entrerait donc dans la catégorie des mariages conformistes ?

Stefano haussa les épaules.

— Je comprends que cela te semble étrange, mais par rapport à ceux de mes frères, il l'est !

— Difficile à croire..., observa-t-elle avec une petite moue comique.

Puis, soudain sérieuse, elle le dévisagea.

— Pourquoi fais-tu cela, Stefano ? Ce n'est pas un... vrai mariage.

— Tu te trompes, Nellie. Tu ne l'as pas encore compris, mais c'est un vrai mariage, déclara-t-il en fixant le voile à l'aide des épingles qui retenaient ses cheveux en chignon. Et je fais cela parce que tu n'as personne d'autre que moi pour y veiller. Si ta mère était en vie — ou la mienne —, c'est elle qui aurait pensé au voile.

La voix du secrétaire retentit alors.

— Monsieur Salvatore ? Mademoiselle Wentworth ? M. le juge vous attend.

La jeune femme avala sa salive et sut gré à Stefano de la prendre par le bras, car elle sentait ses jambes flageoler. Après avoir échangé quelques plaisanteries avec eux, le juge alla au vif du sujet. Si le cérémonial fut

110

d'une brièveté qui choqua presque Pénélope, les vœux qu'ils échangèrent lui parurent en revanche plus émouvants qu'elle ne l'avait imaginé. Et lorsque le juge les déclara « unis pour le meilleur et pour le pire », elle fut incapable de contenir ses larmes.

— Ne pleure pas, *cara*, lui chuchota Stefano à l'oreille en lui essuyant doucement les joues. Je veux que tu sois heureuse.

— Je... le suis. Je suis très heureuse.

Il l'attira alors contre lui et l'embrassa comme n'importe quel jeune marié amoureux de sa femme. Et, d'une voix vibrante, il prononça quelques mots qui la firent frémir.

— Tu es à moi maintenant, madame Salvatore.

— Eh bien, voilà qui est fait ! lança Nellie d'une voix qui se voulait naturelle mais qui sonna faux à ses propres oreilles.

Peut-être était-ce à cause de ce que lui avait dit Stefano dès qu'ils avaient été mariés, ou parce que leur « nuit de noces » approchait ? Toujours est-il qu'elle était nerveuse.

Stefano prit Intègre dans ses mains et le mit dans le couloir avant de refermer d'un geste ferme la porte de la chambre.

— Oui, voilà qui est fait.

Elle enleva avec précaution le voile que lui avait offert son mari quelques heures plus tôt, et le posa sur la commode. Puis elle lança un regard à la dérobée à Stefano, qui l'observait depuis un moment.

— Puisque nous voilà mariés, je suis désormais censée diriger les opérations.

En entendant cela, il haussa les sourcils.

— Pardon ?...

Pénélope se tourna vers lui.

— Le jour où nous avons déjeuné chez Benjamin, j'ai posé une condition à notre mariage : que ce soit moi qui prenne les décisions. Et tu as accepté !

— Vraiment ? C'était absurde de ma part.

— Du tout. C'était au contraire une réaction très saine d'homme d'affaires.

— Si tu le dis...

Il avait commencé à déboutonner sa chemise blanche, et, devant ce torse musclé, Pénélope s'empressa de détourner le regard.

— Tu penses sans doute que cette décision, je l'ai prise après avoir analysé la situation de façon rationnelle ?

Elle éclata de rire.

— Oh, non ! C'est moi qui agis ainsi. Toi tu te laisses plutôt guider par tes émotions.

Il salua cette remarque d'un petit sourire narquois.

— Tu crois ?

— J'en suis sûre, même. Tes cadeaux de mariage, par exemple. Ils sont romantiques, mais aussi sentimentaux.

— Est-ce qu'ils t'ont plu ?

Pénélope ne pouvait pas mentir. Pas sur ce point.

— Beaucoup.

— Je tenais à ce que notre mariage soit mémorable.

— Tu veux dire... notre pacte ?

Il franchit la distance qui les séparait.

— Non, *cara*.

Stefano lui posa les mains sur les épaules avant de l'attirer contre lui.

— Je parlais de notre mariage.

Puis il baissa la tête et effleura ses lèvres d'un baiser.

— Que fais-tu ? chuchota-t-elle.

— J'embrasse ma femme.

— Mais... je ne te l'ai pas demandé.

— En effet. Tu ne m'as pas non plus demandé de ne pas le faire.

— Je ne pense pas que ce soit une bonne idée...

— Moi si.

— Tu envisages de... passer une vraie nuit de noces, n'est-ce pas ?

— L'idée m'a traversé l'esprit, ironisa-t-il avec un sourire tendre.

— Et si je ne suis pas d'accord ?

— Serais-tu en train de m'ordonner d'arrêter ?

Au ton de sa voix, elle comprit qu'elle devait avancer avec prudence.

— « Ordonner » n'est pas le terme adéquat.

— Tant mieux.

— Mais j'aimerais que tu essaies de te montrer raisonnable. Tu comprends bien qu'il n'y a aucune raison — professionnelle, s'entend — pour que nous dormions ensemble.

— Nous ne sommes pas obligés de dormir. Nous nous contenterons de faire l'amour.

Comme elle s'apprêtait à protester, il la poussa doucement vers le lit, sur lequel elle tomba assise. Il s'agenouilla alors devant elle et lui prit le visage entre les mains.

— Aie confiance en moi, Nellie.

— Tu sais bien que j'ai confiance en toi.

— Dans ce cas, admets que ce qui se passe entre nous n'a rien de « professionnel ». Pour une fois dans ta vie, laisse parler ton cœur, ton corps.

Luttant contre la vérité, la jeune femme secoua la tête.

— Ce n'est pas ce que je cherchais. J'ai décidé de me marier pour protéger à la fois mon oncle et mes entreprises. Dans mes plans, il n'était pas question que je... que je te désire, finit-elle d'une voix brisée.

— Pourquoi m'avoir choisi, moi ? Pourquoi ne pas t'être adressée à l'un de ces nombreux investisseurs qui auraient été ravis de s'en tenir aux conditions que tu avais fixées ?

Elle passa la langue sur ses lèvres sèches.

— Parce que c'est en toi et en personne d'autre que j'avais confiance.

Stefano fronça les sourcils.

— Tu étais donc si sûre de moi ?

Du bout des doigts, elle redessina les traits du beau visage masculin.

— Après avoir lu le rapport que m'avait remis mon détective privé, j'ai pensé que tu étais un homme de confiance. Et après t'avoir rencontré, je n'en ai plus douté un seul instant. Je n'arrive toujours pas à comprendre qu'on puisse te soupçonner d'avoir commis un acte d'une telle bassesse.

— Tu es vraiment si sûre de moi ? répéta-t-il.

— Oui.

— Et je suis sûr, moi, de n'avoir jamais désiré aucune femme comme je te désire en ce moment.

Sa voix s'était faite rauque, son regard brûlant, et Pénélope retint son souffle. Elle devinait ce qui allait se produire, et l'attente lui parut soudain insupportable. A l'instar de Stefano, elle savait désormais ce qu'elle voulait. Mais si cela appartenait pour lui au domaine des émotions, elle préférait, elle, ne pas se départir de son sens pratique. Elle avait envie de lui. Rien que de très normal, après tout, mais cela ne signifiait pas qu'elle perdait le contrôle de la situation.

Lorsqu'il chercha ses lèvres et commença à la déshabiller, elle ne fit pas mine de vouloir lui échapper, mais répondit au contraire à ses caresses. Des caresses de plus en plus folles, hardies. Et quand ils se retrouvèrent étendus l'un contre l'autre, nus, elle n'avait qu'une hâte : lui appartenir.

— Que veux-tu maintenant, *cara*, lui chuchota-t-il à l'oreille entre deux baisers.

— Toi. C'est toi que je veux.

Elle n'avait pas hésité une seconde à lui répondre, et d'instinct elle se cambra contre lui.

— Pourquoi ?

— Parce que...

— Dis-moi pourquoi, insista-t-il sans la quitter du regard.

Perdue, elle secoua la tête. Qu'attendait-il d'elle ? Et surtout, qu'attendait-il pour la faire sienne.

— Stefano... Je ne comprends pas ce que tu me demandes.

— Si, mon cœur, tu le comprends. Ce que je te demande, c'est de te donner tout entière à moi.

— Mais je..., balbutia-t-elle, confondue.

— Tu m'as dit que tu avais confiance en moi, n'est-ce pas ? Alors, viens, abandonne-toi. Je te promets de te protéger.

Elle s'agrippa plus fort encore à lui, et quand leurs deux corps n'en firent plus qu'un, elle cria son nom avant de s'abandonner tout entière à lui, comme il le voulait, de se laisser engloutir par ses émotions, de chuchoter des mots fous. Et de ne penser à rien, plus rien, qu'au plaisir infini qu'elle ressentait avec lui. Un plaisir partagé, elle le savait au plus profond d'elle-même.

9.

Lorsque Pénélope se réveilla, la lumière du matin commençait tout juste à filtrer à travers les persiennes de la chambre de Stefano. De leur chambre, rectifia-t-elle en son for intérieur. Ils étaient mariés à présent, unis par les mots qu'ils avaient échangés devant le juge, et aussi par les liens physiques qui s'étaient tissés entre eux cette nuit-là.

Tout doucement, la jeune femme se glissa hors du lit et ouvrit la petite valise qu'elle avait apportée avec elle. Elle en sortit une chemise de nuit courte, en fin coton blanc orné de dentelle. Stefano préférait peut-être le satin ou la soie, mais elle était, elle, très attachée au coton ! Elle chaussa ensuite ses lunettes et prit dans son sac un calepin et un stylo. Un miaulement plaintif retentit derrière la porte au moment où elle s'apprêtait à regagner le lit. Elle entrebâilla la porte, et Intègre vint aussitôt se frotter contre ses jambes en ronronnant de plaisir. Souriante, elle caressa d'une main distraite la douce fourrure blanche de l'animal, qui s'était installé à côté d'elle, dans le lit.

Puis elle ouvrit le calepin, et, les sourcils froncés, fixa la page blanche. Elle voulait prendre quelques notes avant que Stefano se réveille. Deux ou trois petites phrases destinées à lui rappeler comment elle espérait que se déroule leur « vie commune ». Car une chose était sûre : leur cohabitation ne pouvait en aucun cas suivre la

116

voie sur laquelle ils s'étaient engagés dès le début de leur union !

Cela étant clairement établi dans son esprit, elle commença à écrire et fut bientôt absorbée par cette tâche.

— Le point numéro trois est acceptable, mais je refuse catégoriquement le premier...

La voix de Stefano, encore lourde de sommeil, la fit sursauter. Intègre poussa un miaulement indigné, et sauta du lit afin de trouver un endroit plus calme pour son repos matinal.

— Je... n'avais pas remarqué que tu étais réveillé..., dit-elle avec un sourire gêné.

— J'imagine. Sans quoi tu n'aurais pas mis ça...

Il joua une seconde avec la bretelle de sa chemise de nuit avant d'ajouter :

— ... sachant qu'il va falloir que je l'enlève.

— Ce n'est peut-être pas nécessaire...

— J'ai bien peur que si.

Pénélope s'éclaircit la voix, referma son calepin d'un geste sec et regarda Stefano droit dans les yeux.

— Ecoute...

— Inutile, j'ai lu. Alors, explique-moi pourquoi tu souhaites donner à notre mariage une nouvelle orientation ?

— Je ne crois pas que ce soit le moment d'en discuter.

— C'est pourtant ce que tu as inscrit en premier sur ta liste ! Alors, Nellie, pourquoi ? Est-ce parce que tu as oublié d'être « logique » et « raisonnable », hier soir ? Parce que tu t'es laissé guider par tes sentiments ? J'imagine que c'est pour cette raison que tu souhaites changer de cap...

La jeune femme cligna des paupières avant de le fixer de son air le plus innocent.

— Pardon ?... Je ne vois absolument pas de quoi tu veux parler.

Stefano leva les yeux au ciel et lâcha un juron en italien.

— Tu ne penses pas qu'il est temps de m'expliquer pourquoi tu t'obstines à ce point à garder la tête sur les épaules? Pourquoi tu as tracé un trait à l'encre indélébile pour séparer affaires et sentiments?

— Il me semble que c'est de loin l'attitude la plus saine.

— Je ne suis pas un imbécile, Nellie, insista-t-il en lui soulevant le menton. Et je devine que quelque chose est à l'origine de ce comportement qui relève de l'obsession. Allons, *cara*, raconte-moi tout. Quel est donc le secret que tu me caches?

Il ne fut pas surpris qu'elle détourne le regard, obstinée jusqu'au bout.

— Il s'agit d'une sage décision fondée sur...

— Ça suffit!

La jeune femme bondit hors du lit, lâchant stylo et calepin. Arrivée devant la fenêtre, elle fit volte-face. Dans ce mouvement, l'une des bretelles de sa chemine de nuit glissa sur son épaule. L'œil luisant de colère, les cheveux ébouriffés, elle était magnifique. Il en coûta à Stefano de ne pas la rejoindre, la prendre dans ses bras et l'embrasser encore et encore. Mais il y avait plus important, pour l'heure.

— Tu veux vraiment savoir pourquoi? lança-t-elle d'une voix tendue. Très bien. Tu vas le savoir! Je ne me laisse plus guider par mes émotions, parce que j'ai déjà commis cette erreur il y a des années.

— Et tu l'as payée cher?

Pénélope secoua la tête, et ses cheveux couleur miel voletèrent autour de son visage.

— Oh, non... Ce n'est pas moi qui en ai fait les frais.

Dieu, qu'elle était belle!

— Désolé de te contredire, mon amour, mais je n'en suis pas certain.

Comme il l'espérait, elle eut une réaction explosive. Pour quelqu'un qui se targuait de ne pas réagir de façon émotive, c'était pour le moins surprenant! Plus surprenant encore qu'elle n'ait jamais remarqué qu'elle était tout le contraire d'une femme froide. Si le sujet n'avait revêtu pour lui une telle importance, il en aurait ri.

— Ce n'est pas moi qui ai réglé l'addition ! s'exclama-t-elle, les poings sur les hanches. Les employés de Janus s'en sont chargés à ma place. Ce sont eux et eux seuls qui ont assumé les frais, dans cette affaire !

— Ah ? Et comment ?

Il remarqua que ses lèvres tremblaient. Elle attendit d'ailleurs quelques secondes avant de reprendre la parole.

— Tu aurais dû me voir à vingt et un ans, Stefano. J'avais tout de la parfaite femme d'affaires, en dépit de mon jeune âge. Ambitieuse. Déterminée. Epouvantablement sûre de moi et de mes compétences. Comme je vivais dans cet univers depuis l'âge de dix ans, j'étais persuadée de tout connaître.

— Tu en savais sans doute davantage que la plupart des gens de ton âge.

— Mais certainement pas assez pour me prendre pour le centre du monde !

Elle se mit à faire les cent pas dans la pièce.

— J'étais arrogante. J'ai voulu prendre le contrôle de ma propre compagnie afin de montrer à la terre entière ce que je valais. J'ai donc demandé à Loren de me confier la direction de Janus. Comme il se montrait plus que réticent, nous avons eu une terrible dispute.

— Tu as fini par l'emporter, je suppose ?

— Oh, il a accepté de me céder le poste, mais je ne suis pas sûre que cela puisse être considéré comme une victoire !

— Pourquoi ? Tu as été confrontée à des problèmes ?

— Et pas des moindres... Janus était une petite entreprise d'import-export. Rien de comparable à Salvatore ou à Cornell, pour ce qui concerne l'envergure, mais le potentiel était considérable. J'étais aux commandes de la compagnie depuis un mois à peine quand je me suis aperçue que quelqu'un se servait de la société pour s'enrichir.

Des copies piratées de films tout juste parus sur les écrans, des programmes informatiques ainsi que des jeux vidéo, étaient vendus à l'étranger par le biais de Janus...

Stefano l'écoutait, ébahi.

— Et alors, qu'as-tu fait ?

— Je...

Elle hésita.

— Dis-moi d'abord ce que tu aurais fait à ma place.

— J'aurais essayé de découvrir le coupable, que j'aurais ensuite remis entre les mains de la justice avec les preuves qu'il m'aurait été possible de rassembler contre lui.

— Une excellente solution. Ce n'est malheureusement pas celle que j'ai choisie.

Les traits tendus, Pénélope s'avança vers la fenêtre, dont elle écarta les rideaux. Un rayon de soleil nimba aussitôt sa ravissante silhouette.

— J'étais furieuse, reprit-elle d'une voix saccadée. J'ai renvoyé tous les salariés.

— Ceux qui s'étaient rendus coupables de ce trafic frauduleux ?

— Hélas, non ! répondit-elle avec un rire amer. J'ai congédié tous les cadres. Pas un seul n'a échappé à mon « opération de nettoyage » ! Comme si cela ne suffisait pas, je les ai publiquement dénoncés, décrétant qu'ils étaient tous fautifs.

Stefano repoussa les couvertures et rejoignit la jeune femme, qu'il prit dans ses bras.

— As-tu fini par savoir qui se cachait derrière cette affaire ?

— C'était...

Accablée, elle baissa la tête.

— ... un simple employé qui travaillait à l'acheminement des marchandises. Oh, Stefano, te rends-tu compte que j'ai détruit la réputation de tous les chefs de service de Janus... En proie à la colère, je m'étais laissé guider par mes impulsions au lieu de réfléchir posément et de procéder par ordre. Si seulement j'avais pris la peine d'attendre...

— Qu'a fait Loren ?

— Rien, chuchota-t-elle. Je l'ai supplié de redresser la situation mais il a refusé. Il m'a dit que j'avais voulu assumer ces responsabilités, et que je devais donc à présent apprendre à gérer les problèmes qui allaient de pair avec mes responsabilités de P.-D.G.

Stefano posa les mains sur les épaules de la jeune femme et massa ses muscles tendus.

— Je te connais, Nellie. Tu t'es sûrement débattue comme un beau diable pour rétablir la vérité.

— J'ai présenté des excuses en public, et j'ai aidé la plupart de mes anciens salariés à retrouver un emploi similaire. Mais ce n'était pas suffisant. Je ne me pardonnerai jamais de leur avoir infligé un tel affront.

— *Cara*...

Elle releva lentement la tête.

— Tu comprends maintenant pourquoi je suis à ce point sensible à la crise que tu traverses ? Pourquoi je suis persuadée de ton innocence ? Dès le début, j'ai analysé la situation avec logique. J'ai mené mon enquête, j'ai réfléchi, j'ai pesé le pour et le contre. Ma décision, je l'ai prise sans me fier à mon instinct ou aux sentiments que pouvait m'inspirer cette situation. Et je ne le ferai jamais. Plus jamais.

— Je suppose que tu plaisantes ? Du moins en ce qui me concerne.

Pénélope redressa les épaules et le dévisagea, interloquée.

— Mais... j'ai été parfaitement logique à propos de l'affaire Bennett.

— Du tout. Tu as écarté tous les faits retenus contre moi sans la moindre preuve concrète.

— Tu te trompes ! Comment peux-tu affirmer une chose pareille ?

— Je l'affirme parce que c'est la stricte vérité. Tu

121

m'as soutenu dès le début sans avoir la moindre certitude quant à mon innocence. Ne te méprends pas sur le sens de mes propos, Nellie. J'apprécie beaucoup la confiance que tu as placée en moi et je t'en remercie...

— De rien !

— Inutile de te montrer sarcastique, mon cœur. Je n'aborde ce sujet qu'à cause de cette liste que tu as dressée dès ton réveil.

Du menton, il pointa le calepin qui était tombé par terre.

— Tu voudrais modifier nos accords, et je ne suis pas du tout disposé à l'accepter.

— Ce que je veux, c'est que nous revenions aux termes de l'accord qui a été conclu entre nous ! Hier soir...

— Ce qui s'est passé entre nous hier soir t'a fait peur, n'est-ce pas ? Voilà pourquoi tu tiens tant à modifier le cours des choses. Parce que tu es terrifiée.

Elle s'écarta brusquement de lui.

— Aurais-tu perdu la tête ? Terrifiée ? Certainement pas !

— Si ! La femme d'affaires accomplie que tu es s'est laissé emporter par ses émotions. Ce matin, à tête reposée, tu t'es aperçue que tu avais cédé du terrain, et tu as paniqué. Tu ne pensais pas éprouver quoi que ce soit pour moi, et c'est bien pour cela que tu es effrayée. Tu as peur parce qu'il est trop tard. Quoi que tu prétendes, des liens se sont tissés entre nous. Les choix que tu as faits dans notre relation, les décisions que tu as prises, échappent à toute logique. Et maintenant tu voudrais te cacher la vérité.

— Non ! protesta-t-elle dans un cri.

— Nellie ! Tu ne m'as pas épousé dans le seul but de sauver tes entreprises.

Comment pouvait-elle continuer à se voiler la face, alors qu'ils avaient vécu ensemble des moments d'une intensité rare ?

122

— Si c'était là ce que tu cherchais, tu aurais jeté ton dévolu sur n'importe quel homme d'affaires, que tu aurais manipulé à ta guise. Mais ce n'est pas ce que tu as décidé de faire. C'est moi que tu as choisi, sachant que nous aurions du mal à garder nos distances.

— Moi en tout cas, j'en suis parfaitement capable !

— Allons, Nellie, sois sincère. Dès le début, tu as bien senti qu'un courant particulier passait entre nous. Et au fur et à mesure que le temps passera, chaque caresse, chaque baiser que nous échangerons resserra les liens qui nous unissent. Des liens sentimentaux, conclut-il, insistant sur ce dernier mot.

La jeune femme secoua la tête.

— Désolée, mais je ne suis pas du tout d'accord avec ta théorie. Nous éprouvons l'un pour l'autre du désir, rien de plus. Un désir puissant, certes, mais qui n'a rien à voir avec les sentiments !

— C'est de l'amour, Nellie.

Il avait prononcé le mot interdit, et elle recula davantage encore.

— De... l'amour ? répéta-t-elle, d'une voix étranglée. Non. Non ! Ne dis pas cela !

— Pourquoi ?

Il l'avait rejointe et, tout en lui caressant les cheveux, lui renversa doucement la tête en arrière jusqu'à ce que leurs regards se croisent.

— Parce que tu as peur d'aimer, insista-t-il ? Parce que les parents que tu aimais tant sont morts, et ont emporté cet amour avec eux ? Parce que cet oncle que tu adorais n'a pas su, malgré toute sa bienveillance, t'aimer comme on doit aimer un enfant ? Parce que tu as appris, de la façon la plus brutale, que les émotions fortes pouvaient te détruire ?

— Arrête ! s'écria-t-elle en portant les mains à ses oreilles.

Il lui prit les mains et les garda serrées dans les siennes pour l'obliger à entendre ce qu'il avait encore à lui dire.

— Je ne peux pas t'aimer, tu ne comprends pas ? murmura-t-elle alors. Si je t'aime...

Comme elle se taisait, il insista :

— Que se passera-t-il donc de si terrible, *cara* ?

Pénélope avala sa salive.

— Ce serait une erreur. Une erreur épouvantable, comme celle que j'ai commise avec Janus.

— A moins que tes décisions te soient dictées par ton cœur et non par ta tête. Que tu ne te laisses guider ni par la colère ni par la raison, mais par tes sentiments. Par ta compassion, et aussi par cette merveilleuse générosité qui est la tienne.

Elle le frappa avec les seules armes qu'elle possédait : les mots.

— Tu te trompes. Tu veux absolument donner à notre relation une tournure romantique qu'elle n'a pas. Nous avons fait l'amour ensemble, Stefano, soit. Et alors ? Nous ne sommes pas pour autant amoureux l'un de l'autre ! C'était du désir. Du désir pur et simple.

— Il n'y a rien de simple dans le désir, lui répondit-il avec calme. Ne dénigre pas les moments si beaux que nous avons vécus ensemble.

Insensible à ces propos, elle s'écarta de lui et le gratifia d'un regard froid.

— Je ne t'aime pas, Stefano. Et si tu veux donner à notre relation une dimension qu'elle n'a pas, j'en suis désolée.

Il se contenta de sourire.

— Je ne crois pas me tromper, *cara*.

Puis il se dirigea d'une démarche tranquille vers la salle de bains.

Une heure plus tard, Pénélope montait dans l'un des ascenseurs de l'immeuble Salvatore, et appuyait sur le bouton de l'étage où était situé le bureau de Stefano. Elle ne songeait qu'à une chose : retrouver son mari, et le plus vite possible. D'un geste rageur, elle essuya les larmes qui perlaient à ses paupières. Pleurer ne servait à rien, sinon à apaiser la tension nerveuse. Mieux valait donc affronter la situation, plutôt que céder à ses émotions.

Dès que les portes s'ouvrirent, elle sortit en trombe de la cabine. Elle aperçut au bout du couloir les frères Salvatore qui discutaient ensemble, et se demanda s'ils étaient déjà au courant de la situation. Il fallait absolument qu'elle trouve Stefano avant que la nouvelle se répande ! Elle accéléra le pas, passa à côté de ses beaux-frères sans répondre à leurs questions. Ecartant Marco, qui était sur son passage, elle se précipita dans les bras de son mari.

Et à ce moment-là, incapable de se contenir plus longtemps, elle éclata en sanglots.

— Qu'y a-t-il ? s'exclama Pietro derrière elle.

— Pénélope pleure à cause de Stefano.

— Que diable lui as-tu fait ? lança Luc.

— Ce n'était peut-être pas Stefano qu'elle cherchait. Elle voulait peut-être pleurer sur l'épaule de Marco...

Ce dernier salua cette remarque d'un sourire.

— Je crois que notre chère belle-sœur est parfaitement capable de nous distinguer l'un de l'autre, désormais.

Stefano serra la jeune femme contre lui en un geste protecteur.

— Vous ne voyez donc pas qu'il se passe quelque chose ? Allons, écartez-vous au lieu de former un attroupement autour d'elle !

Puis il reporta son attention sur la jeune femme, dont il caressa les cheveux.

— Pourquoi pleures-tu ainsi, Nellie ? Qu'est-il donc arrivé, mon cœur ?

— Oh, Stefano... La pire des choses ! Je... viens tout juste de l'apprendre. On s'attaque à toi, une fois de plus.

— Calme-toi, *cara*. Pour l'instant, essaie d'être logique.

— Combien de fois faudra-t-il que je te le répète ? s'emporta-t-elle. Je suis logique !

— Bien sûr, bien sûr... Et maintenant, explique-moi de quoi il retourne.

Pénélope essaya sans grand succès de se ressaisir.

— Le journaliste a dit que c'était toi qui lui avais fourni l'information.

— Quelle information, Nellie ? insista-t-il doucement.

— Au sujet de Loren. Quelqu'un a évoqué ses problèmes de santé. Et maintenant, tout le monde prétend que c'est toi qui es à l'origine de cette indiscrétion.

Stefano releva la tête et regarda ses frères.

— Pietro, renseigne-toi sur cette affaire. Luc, essaie de trouver qui est à l'origine de cette sombre histoire.

— Pas très difficile à deviner...

— Je ne veux pas des suppositions, mais des preuves !

— Ce ne sera peut-être pas possible, Stefano.

— Eh bien, fais en sorte que ça le soit !

Sans lâcher la jeune femme, il tourna alors le dos au clan des Salvatore et se dirigea vers son bureau. Dès qu'il eut refermé la porte derrière eux, il fit asseoir Pénélope sur le canapé et lui servit un verre de cognac.

— Bois lentement ceci, ça va t'aider à te remettre, et raconte-moi ce que tu sais.

Elle fit tourner le liquide ambré dans le verre et en avala une petite gorgée.

— Un journaliste du *Financial News* m'a téléphoné pour que je lui confirme les informations qu'il avait sur l'état de santé de mon oncle.

— Tu as tout nié en bloc, j'imagine ?

— Bien sûr ! Mais il ne m'a pas crue. Il m'a dit qu'il prêtait foi aux déclarations faites par mon mari.

Comme elle sentait de nouvelles larmes lui picoter les yeux, elle s'empressa de boire une autre gorgée de cognac.

— Il prétend que tu te serais montré indiscret au cours d'un entretien récent, poursuivit-elle d'une voix mal assurée.

— Je n'ai pas adressé la parole à un journaliste depuis plus d'un an !

— Le problème n'est pas là, Stefano. Je sais bien que ce n'est pas toi qui as vendu la mèche. Je soupçonne Cornell d'avoir tout manigancé. Mais comment aurait-il pu mettre la main sur le dossier médical de Loren ?

Stefano soupira, se servit un whisky et se tourna vers celle qui était désormais sa femme.

— Crois bien que ça ne m'amuse pas du tout de te dire une chose pareille, Nellie, mais il ne faut pas être devin pour remarquer que ton oncle est sujet à des troubles du comportement. Toutefois, dans la mesure où ils ne se fréquentent pas, Cornell et lui, je pense que notre ami a dû demander à un détective privé de mener son enquête.

Il secoua la tête et but une gorgée de whisky avant d'ajouter :

— Voilà sans aucun doute le cadeau de mariage qu'il nous avait promis !

Accablée, Pénélope posa son verre sur la table basse et porta les deux mains à son visage.

— Calme-toi, *cara*. Nous trouverons un moyen de nous sortir de cette affaire.

— J'ai attendu trop longtemps pour me décider à me marier, murmura-t-elle en baissant les paupières. La valeur de Crabe est en train de plonger pendant que nous parlons, et j'en suis seule responsable.

— Ce n'est pas ta faute mais la mienne, Nellie. Je n'aurais pas dû provoquer Cornell.

Surprise, elle rouvrit brusquement les yeux. Les propos de Stefano n'avaient pourtant rien de surprenant. Cette attitude chevaleresque était digne de lui.

— Non, Stefano, ce n'est pas ta faute. Tu n'as rien à te reprocher. Et un jour — quel que soit le temps qu'il me faudra — je réussirai à prouver ton innocence.

Il la dévisagea, un sourire attendri aux lèvres.

— Je reconnais bien là ma chère épouse : logique et peu encline aux émotions...

— Ne te moque pas de moi ! Tu devrais comprendre que ce n'est pas le moment.

— Ne te fais aucun souci, mon cœur. Tous les Salvatore te soutiennent, et tu ne vas pas tarder à découvrir que nous formons une équipe soudée et fermement résolue à parvenir à ses fins!

Il était venu s'asseoir à côté d'elle, et, se sentant soudain plus détendue, elle posa la tête sur son épaule.

— Il y a au moins un petit point positif, dans cette affaire.

— Lequel?

— Mon avocat a reçu hier en fin d'après-midi une offre d'achat pour Crabe. Et en dépit des dernières nouvelles, ces acheteurs ne se sont pas rétractés.

— Une offre sous-évaluée?

— Oui. Comment l'as-tu deviné?

— Comme ça...

— Si j'arrive à obtenir des conditions intéressantes pour le personnel en place, j'accepterai sans doute.

— Qui est à l'origine de cette offre?

Les sourcils de la jeune femme se rapprochèrent.

— Une firme du nom d'Orbit. Tu en as entendu parler?

— Le nom ne me dit rien.

— La somme qui m'a été proposée serait ridicule en d'autres circonstances, mais ajoutée à celle que tu m'as versée pour Janus, elle permettra de prendre soin de Loren.

Il tendit la main vers elle et repoussa une mèche de cheveux qui lui barrait le front.

— Et toi, Nellie, qui prendra soin de toi?

— J'ai toujours eu l'habitude de gagner ma vie. Bien que..., reprit-elle en grimaçant, je doute qu'on se bouscule pour engager quelqu'un qui a réussi à ruiner l'entreprise familiale dès l'instant où elle en a hérité.

— Je t'ai déjà dit que ce n'était pas ta faute.

— Peut-être, mais dans la mesure où Crabe est sous ma responsabilité...

Stefano poussa un long soupir.

128

— Je te présente toutes mes excuses, Nellie. Je t'avais promis de te protéger, et je ne l'ai pas fait. Je me doutais bien que Cornell nous jouerait un mauvais tour. Et au lieu d'essayer de découvrir ce qui se tramait, j'ai choisi d'attendre.

— Tu ne pouvais pas te douter qu'il agirait ainsi.

— Peut-être pas, en effet.

Stefano serra les lèvres.

— Il a cependant commis une erreur. Et de taille.

— Laquelle ?

— Personne ne porte atteinte à ce qui m'appartient. Il paiera pour cela. Et j'y veillerai personnellement !

Pénélope s'agita sur son siège.

— Je ne t'appartiens pas, fit-elle.

— Non ? Après ce qui s'est passé entre nous hier soir, après tout ce que nous nous sommes dit ce matin, tu t'obstines à penser que rien ne nous lie l'un à l'autre ? Te rends-tu compte qu'il y a une demi-heure à peine, tu as failli renverser Marco pour te précipiter dans mes bras ? Il n'y a qu'une explication à cela, Nellie. Une seule. Désormais, tu sais ! Tu nous distingues parfaitement l'un de l'autre. Comme Hannah. Nous formons un couple. Un vrai couple.

La panique qui avait gagné la jeune femme le matin même se manifesta de nouveau.

— Combien de fois faudra-t-il que je te le répète, Stefano ? Notre mariage est un mariage de raison ! D'ailleurs, si cette offre tient toujours et que je vends Crabe & Associés, nous n'aurons même plus besoin de continuer à faire semblant.

— Nous ne faisons pas semblant, Nellie ! protesta-t-il, avec un accent italien très prononcé. As-tu déjà oublié les vœux que nous avons prononcés hier ?

— Des vœux temporaires. C'est ce dont nous étions convenus !

— Et qu'advient-il de l'autre promesse que tu m'as faite ? Tu envisages de ne pas la tenir elle non plus ?

— S'il s'agit de ta réputation, sache que je m'emploie-rai coûte que coûte à la rétablir. Mais nous n'avons pas pour cela besoin d'être mariés.

Sans un mot, il se leva et se dirigea vers la fenêtre. Pénélope sentit sa gorge se nouer à la vue de la superbe silhouette masculine qui se détachait en contre-jour.

Tout doucement, Stefano posa son verre vide sur son bureau, et se tourna vers elle. Son visage était dans l'ombre, et elle ne put donc pas en déchiffrer l'expression.

— De toute évidence, tu as réfléchi à tout. Alors, quels sont tes projets, Pénélope ?

Tous ses muscles se figèrent. Il l'avait appelée Péné-lope. Elle ressentit quelque chose qui ressemblait à de la peur. Mais pourquoi aurait-elle eu peur ? Elle n'était pas attachée à Stefano. Pas vraiment. Ils avaient passé d'agréables moments ensemble, voilà tout. S'ils se sépa-raient, elle le regretterait sans doute un peu, mais la vie ne s'arrêterait pas pour autant.

Oui, la vie continuerait.

— Je vais prendre rendez-vous avec les gens d'Orbit, et examiner sérieusement leur proposition.

— Et ensuite ?

— S'il te plaît, Stefano. Je ne crois pas qu'il soit nécessaire de discuter de cela maintenant.

— Moi si, rétorqua-t-il d'un ton ferme en croisant les bras. Alors, que se passera-t-il quand tu auras bradé ton entreprise ?

Le terme la fit frémir.

— Je mettrai alors tout en œuvre pour prouver ton innocence.

— Et nous ?

— Eh bien, nous... opterons pour la solution la plus raisonnable. Nous nous séparerons.

— Très logique, railla-t-il.

La jeune femme cligna des paupières.

— Ça ne devrait pas te surprendre. Ne t'ai-je pas toujours dit que j'attachais une valeur toute particulière à la logique ?

Stefano secoua lentement la tête, en un geste qui reflétait la lassitude.

— Tu n'as pas choisi le meilleur moment pour commencer à te comporter de façon logique, mon amour ! Je ne peux qu'espérer que tu n'auras pas à regretter ton choix.

Il traversa alors la pièce et ouvrit la porte, mettant ainsi manifestement un terme à leur entretien.

— Appelle-moi quand tu connaîtras l'heure de ce rendez-vous avec Orbit.

Pénélope se leva et découvrit avec étonnement que ses jambes fléchissaient. Elle réussit toutefois à se ressaisir, et releva la tête.

— Tu voudrais y assister ?

— Absolument. Et je veux aussi et surtout que tu me promettes de n'entamer aucune négociation sans moi.

Il attendit qu'elle l'ait rejoint pour lui caresser la joue.

— Si tu acceptes, je ne te demanderai rien d'autre.

— D'accord. Je te tiendrai au courant dès que le rendez-vous sera fixé.

La porte était ouverte devant elle. Elle leva les yeux vers Stefano. Jusque-là, ils s'étaient presque toujours embrassés avant de se quitter. A l'expression de son visage elle comprit toutefois qu'il ne l'embrasserait pas, cette fois. Elle redressa le menton et s'apprêta à sortir.

— Une dernière chose, madame Salvatore.

— Oui ? fit-elle avec un empressement qui la gêna.

— Quand je parlais tout à l'heure d'une autre promesse, je ne faisais pas allusion à ma réputation. Tu m'as promis quelque chose, hier soir, et j'espère bien que tu tiendras parole. Je m'arrangerai en tout cas pour que tu ne l'oublies pas !

**

Le front collé à la vitre de sa fenêtre, le regard rivé sur l'immeuble d'en face, Stefano serra les poings. Il avait tout gâché! Quel besoin avait-il de confronter Pénélope à ses émotions, alors qu'elle n'était de toute évidence pas prête à les accepter? Résultat: elle avait été prise de panique. Pis encore, elle avait fui!

Il avait pourtant cru que la nuit qu'ils venaient de passer ensemble lui aurait ouvert les yeux sur la nature de leur relation. Qu'elle comprendrait que les émotions qu'ils avaient tous deux ressenties pendant qu'ils faisaient l'amour n'étaient pas à redouter mais plutôt à cultiver. Qu'elle consentirait à s'abandonner, comme elle s'était abandonnée durant ces moments si intenses.

Mais le matin venu, elle s'était empressée de se rétracter.

L'ironie de la situation le rendait fou. Tout ce qu'elle disait ou faisait lui était dicté par cette passion qui bouillonnait en elle. Mais bien sûr, Nellie n'était pas capable de le percevoir. Pendant tant d'années elle avait cru être froide, dotée d'un esprit d'analyse logique. Ce qui était faux. Elle était faite pour l'amour.

Il ne lui restait plus qu'à le lui prouver...

Les deux mains posées à plat sur la vitre, Stefano fixa les fenêtres qui se trouvaient juste en face des siennes.

Reviens, Nellie. Je t'aime.

Postée à la fenêtre de son bureau, le front contre la vitre, Pénélope se mordit la lèvre. Elle avait réagi brillamment! Stefano l'avait poussée dans ses derniers retranchements et elle avait cédé à la panique. Pis encore, elle s'était enfuie.

Et pourquoi avait-il cru qu'elle était amoureuse de lui? Parce que — pour une fois! — elle ne l'avait pas confondu avec Marco. La belle affaire! Qu'imaginait-il donc? C'était tout de même normal qu'elle finisse un jour ou l'autre par les distinguer l'un de l'autre! Cela ne signifiait pas, comme semblait le croire Stefano, qu'un lien magique les unissait l'un à l'autre! Tout entrait dans le cadre de la logique.

Hormis le fait qu'elle l'aimait.

Comme cette pensée lui traversait l'esprit, Pénélope retint son souffle. Les yeux écarquillés, elles s'écarta brusquement de la fenêtre. Après tous ces discours sur le désir, la raison... elle se retrouvait confrontée à une situation qu'elle n'avait pas prévue. Son cœur l'emportait sur son esprit.

Elle l'aimait.

Et plus elle y songeait, plus cela s'imposait à elle comme une certitude. Comment avait-elle pu se montrer à ce point aveugle ? C'était pourtant si évident. Elle ne se serait jamais donnée ainsi à lui, sans aucune retenue, si elle ne l'avait pas aimé.

Un petit problème se posait néanmoins. Après ce qu'elle lui avait dit et la façon dont ils s'étaient séparés, lui avouer maintenant qu'elle venait de découvrir son amour pour lui ne serait pas chose aisée.

Elle se rappela alors la promesse qu'elle lui avait faite la veille au soir. Cette promesse, elle la tiendrait. Elle allait d'abord se débarrasser de Crabe, s'arranger d'une façon ou de l'autre pour démontrer à tout San Francisco que Stefano n'avait pas trempé dans l'affaire Bennett, et ensuite rien ne les empêcherait d'établir une relation véritable. Tout au moins, aucun motif d'ordre professionnel n'empêcherait leur mariage de suivre sa voie. Elle aurait alors une chance de le convaincre qu'elle l'aimait.

— Tiens bon, mon amour, chuchota-t-elle en fixant de nouveau la vitre. Nous allons nous retrouver. Bientôt, très bientôt.

10.

— Prête ? lança Stefano.

Pénélope acquiesça.

— Autant que faire se peut...

Elle hésita, consciente qu'il était beaucoup trop tôt pour lui révéler ce qu'elle venait de découvrir.

— Quand tout sera réglé, il faudra que nous discutions de certaines choses, dit-elle néanmoins.

— J'espère bien !

Il s'était exprimé d'un ton cinglant qui ne surprit pas la jeune femme.

A ce moment-là, Cindy passa la tête par l'entrebâillement de la porte de la salle de réunion.

— Les partenaires d'Orbit sont arrivés. Dois-je les faire entrer ?

Pénélope hocha la tête.

— Oui, s'il vous plaît.

Mieux valait en finir au plus vite.

— Prépare-toi..., marmonna alors Stefano.

Avant qu'elle n'ait le temps de lui demander ce qu'il voulait dire, un homme apparut. Le dernier homme qu'elle s'attendait à voir : Robert Cornell.

Il entra dans la salle, un sourire triomphant aux lèvres.

— Bonjour ! Je vous avais bien dit que nous ne tarderions pas à nous retrouver...

Habituée comme elle l'était, depuis des années, à cacher ses émotions, Pénélope fut prompte à se ressaisir.

— En effet, déclara-t-elle avec calme. Je ne devrais donc pas être étonnée de vous voir. Mais je le suis.

— Votre mari n'a pas l'air surpris, lui.

Elle se tourna vers Stefano, et constata que Cornell ne mentait pas.

— Il a raison, murmura-t-elle. Tu n'es pas surpris, n'est-ce pas ?

— Du tout.

Pénélope avala sa salive puis reporta son attention sur Cornell.

— Si vous voulez bien nous excuser... Nous devons nous consulter, mon mari et moi.

— Je m'en doutais.

Il s'installa à la grande table et regarda autour de lui avec des airs de propriétaire.

— Ne tardez tout de même pas trop, ajouta-t-il. La patience n'est pas mon fort.

La tête haute, Pénélope quitta la pièce pour se diriger vers son bureau, Stefano sur ses talons. Dès qu'il eut refermé la porte derrière lui, elle fit volte-face.

— Comment as-tu... ? Tu savais que Cornell se cachait là-dessous ?

— Je n'en étais pas certain, mais je m'en doutais un peu.

— Et pourquoi ne m'as-tu pas prévenue ?

— Parce que je n'avais aucune preuve ! Cornell n'est pas facile à cerner. Tu devrais l'avoir compris, maintenant. J'aurais très bien pu me tromper, et je ne voyais pas l'utilité de t'apporter une source supplémentaire de tracas, pour quelque chose qui ne se produirait peut-être pas. Puisque nous voici désormais confrontés au pire, il ne nous reste plus qu'à trouver la solution.

— Il est hors de question que je lui vende Crabe !

— C'est ce que j'espérais t'entendre dire. En fait, tu n'es pas du tout obligée de vendre, à qui que ce soit.

La jeune femme lâcha un soupir excédé et commença à faire les cent pas dans la pièce.

— Tu préfères peut-être un dépôt de bilan?

— Une faillite n'est pas inévitable, Nellie. Tu appartiens à la famille des Salvatore, à présent. Nous pouvons t'aider à conserver l'entreprise jusqu'à ce que tu sois prête à la diriger, ou bien, si tu tiens toujours à vendre, jusqu'à ce qu'elle ait recouvré sa valeur marchande réelle.

Pénélope fronça les sourcils. Ce n'était pas du tout ce qu'elle avait prévu. Elle voulait rompre entre eux tous les liens de nature professionnelle, pas en créer de nouveaux.

— Et ta réputation? Si vous volez à mon secours, tes frères et toi, les gens penseront que c'est bien toi qui as divulgué l'information afin de faire main basse sur Crabe.

Stefano haussa les épaules.

— Je suppose que ce genre de rumeur circule déjà. Avec le temps, tout le monde finira par s'en désintéresser.

— Pas si Cornell continue à attiser le feu. Pas non plus s'il trouve un autre moyen de nous porter atteinte.

— Avec un peu de chance, il jettera bientôt son dévolu sur d'autres que nous.

Pénélope croisa les bras et le dévisagea, sceptique.

— S'il est aussi vindicatif que tu as l'air de le croire, ça me surprendrait qu'il baisse aussi facilement les bras.

— Ne lui cède pas ton entreprise, Nellie.

Il lui tendit la main.

— Mettons-le ensemble à la porte!

Cindy entra dans la pièce avant que la jeune femme n'ait le temps de répondre.

— Excusez-moi, madame Salvatore, j'ai ici des documents concernant la vente prêts à être signés. Dois-je demander à votre avocat de venir?

Pénélope hésita.

— Si je vends à Cornell, il récupère tout, comme il l'espérait, murmura-t-elle. Si je refuse de lui vendre, je risque la faillite et il aura tout de même atteint son but. D'une façon ou de l'autre, conclut-elle, s'adressant à Stefano, tu n'en sortiras pas indemne.

— Au diable, ma réputation! Ce n'est pas ce qui nous préoccupe en ce moment!

136

— Moi, si. C'est décidé, je ne peux pas faire marche arrière. Pas tant que je n'aurai pas trouvé un moyen d'obliger Cornell à avouer la vérité. Je cours le risque de tout perdre, mais je ne vois pas trop comment l'éviter. En revanche, il me sera possible de t'aider.

— Bon sang, Nellie, c'est de la folie ! s'exclama-t-il en glissant nerveusement la main dans ses cheveux. Réfléchis un peu. Sois raisonnable ! Ma réputation ne mérite pas que tu mettes Crabe en péril.

Elle haussa les épaules.

— Ne dis pas de sottises, Stefano. Tu sais bien que j'opte toujours pour la solution que je juge la plus raisonnable.

Pénélope se tourna alors vers sa secrétaire.

— Où sont ces documents, Cindy ?

— Votre avocat a demandé à être présent quand vous les signerez.

— Dans ce cas, appelez-le.

Quelques secondes plus tard, Mᵉ Wilfred entrait dans la pièce. Il salua Stefano d'un signe de tête et s'avança vers Pénélope.

— Etes-vous sûre de vouloir céder vos droits, madame Salvatore ?

— Certaine.

— S'il vous plaît, lisez ce contrat avant de le signer.

— Inutile, je l'ai déjà lu.

— Madame Salvatore, permettez-moi d'insister...

— Le temps presse, maître Wilfred, l'interrompit-elle d'un ton sec. Je vous certifie avoir lu ces documents un peu plus tôt.

Cindy posa un épais dossier sur le bureau de la jeune femme, et lui tendit un stylo.

— Vous devez signer ici, et là, madame Salvatore, lui indiqua la secrétaire.

— Nellie..., commença Stefano.

— J'ai un plan, déclara-t-elle en apposant d'un geste nerveux sa signature à la dernière page du dossier. Je pense qu'il nous est possible de sauver la situation, mais il faut que tu me fasses confiance.

Il enleva sa veste et la lança sur une chaise avant de rejoindre sa femme.

— Tu sais bien que j'ai une confiance aveugle en toi.

Elle marqua une pause pour lui sourire. Comment avait-elle pu être assez stupide pour ne pas deviner jusque-là combien elle aimait cet homme ? Il était tout pour elle. Et bientôt elle le lui prouverait.

— Oui, je le sais.

— Et toi, as-tu confiance en moi ?

— Bien sûr, répondit-elle sans hésiter. Mais cela n'a rien à voir avec mon plan.

— Quel plan ?

— Vous devez aussi signer ici, madame Salvatore, intervint Cindy. Et parapher chaque page.

Pénélope s'exécuta tout en continuant à parler à Stefano.

— Je crois avoir trouvé un moyen de piéger Cornell.

Il lui prit la main et l'écarta du contrat.

— Comment ?

— Laisse-moi finir de signer ces papiers et je t'expliquerai tout.

— Tu vas trop vite, Nellie. Dis-moi d'abord quelle est ton idée. Ensuite, si tu es toujours décidée, tu finiras de signer ces documents.

Elle le fixa, un sourire amusé aux lèvres.

— En d'autres termes : si tu n'arrives pas à m'en dissuader. Je me trompe ?

Stefano sourit à son tour.

— Il y a de cela, en effet.

Elle reposa son stylo.

— D'accord. Voici donc mon plan. Notre salle de réunion est équipée d'une petite caméra. Une caméra fixée discrètement à un angle de la pièce. Nous l'utilisons pour filmer nos réunions, au cas où certains points soulèveraient des questions par la suite. Je vais demander à Cindy de mettre la caméra en action. Et ensuite, je m'arrangerai pour

que Cornell passe aux aveux avant de lui vendre Crabe &
Associés.

— Supposons qu'il refuse ?

— Il faudra tout mettre en œuvre pour qu'il y consente !

Elle marqua de ses initiales les dernières pages, et tendit
le dossier à Cindy.

— Je t'ai fait une promesse, Stefano. Celle de prouver
ton honnêteté à la face du monde. Et cette promesse, je la
tiendrai !

Il regarda tour à tour la secrétaire et l'avocat, qu'il invita
d'un signe de tête à quitter la pièce. Ceux-ci obtempérèrent.
Dès qu'il fut seul avec sa femme, il la prit dans ses bras.

— Tu ne comprends donc pas, Nellie ? Tu m'as redonné
confiance en moi le jour où tu es entrée pour la première
fois dans mon bureau pour me demander en mariage. En
dehors de ma famille, tu étais la seule à croire à mon innocence.

Elle haussa les épaules et lui sourit.

— Je t'ai déjà expliqué que c'était là une conclusion
logique de ma part. J'ai lu et relu le rapport que m'avait
remis le détective privé, j'ai examiné tous les faits, et il m'a
bien fallu me rendre à l'évidence.

— *Cara mia*, lui chuchota-t-il à l'oreille. Combien de
fois devrai-je te le répéter ? Tous les faits sont contre moi.
Tout me condamne.

— Justement !

Elle se suspendit à son cou et, se pressant tout entière
contre lui, l'embrassa. Pour la première fois depuis que
Pénélope avait décrété qu'ils devaient se séparer, Stefano
sentit l'espoir l'envahir. Elle ne l'embrasserait pas ainsi si
elle souhaitait vraiment mettre fin à leur mariage.

— Stefano..., murmura-t-elle, le souffle court. J'ai quelque chose à te dire.

— Je t'écoute.

Elle hésita.

— Il vaudrait peut-être mieux que j'attende d'avoir
négocié avec Cornell.

Il secoua la tête.

— Non, Nellie. Dis-moi sans plus tarder ce que tu as à me dire. Ainsi, tu ne pourras pas changer d'avis si tout ne se déroule pas comme prévu.

— Bon..., fit-elle en passant la langue sur ses lèvres sèches. J'ai peut-être déclaré un peu trop rapidement que nous devions nous séparer.

Il lui sourit tendrement.

— D'autant que... si je te quitte maintenant, ta réputation en pâtira encore.

— De grâce, Nellie! s'écria-t-il. Ne recommence pas!

Pénélope lui posa un doigt sur les lèvres.

— Ecoute-moi bien. Si je vends Crabe et que je te quitte, les gens diront que c'est parce que tu n'as pas eu ce que tu voulais. Si nous réussissons à battre Cornell et que je te quitte, ils penseront que j'ai découvert quelque chose qui te discréditait. D'une façon ou de l'autre, tu paieras.

— Et tu crois peut-être que c'est cela qui me préoccupe?

— Non, mais ça me préoccupe, moi. C'est moi qui t'ai proposé ce mariage. Un mariage qui était censé t'apporter des avantages, pas des inconvénients. Pour rien au monde je ne voudrais te faire de mal.

— Tu ne pourrais pas me faire de mal, Nellie. Pas sciemment.

— Je t'en ai déjà fait, dit-elle d'une voix tremblante. Et tu n'imagines pas combien je le regrette.

Stefano ne savait s'il fallait rire ou secouer la jeune femme jusqu'à ce qu'elle daigne entendre raison. Ce n'était pas ce genre de propos qu'il espérait entendre lorsqu'elle avait déclaré qu'elle devait lui parler. Il croyait qu'elle allait lui dire qu'elle avait ouvert les yeux. Qu'elle avait enfin compris que leur mariage était une histoire d'amour qui durerait toute la vie. Il serra les poings. Dès que cette affaire avec Cornell serait réglée, il expliquerait à sa délicieuse épouse ce qu'il attendait d'elle. Il le lui expliquerait en termes logiques et rationnels!

— Je te remercie pour ces aveux. Je crois qu'il est temps

140

de retrouver Cornell, maintenant. Te sens-tu prête à l'affronter ?

— Plus que jamais !

Elle tendit la main vers lui et effaça les traces de rouge à lèvres qu'elle avait laissées sur sa joue. Ensuite, elle recula d'un pas pour vérifier que sa tenue ne laissait pas à désirer et, avec un hochement de tête satisfait, se dirigea vers son bureau. Après avoir sorti d'un tiroir une petite trousse, elle se recoiffa et fit quelques rapides retouches de maquillage. Lorsqu'elle eut terminé, elle se tourna vers Stefano et lui offrit son plus beau sourire.

Il remit alors sa veste et plongea la main dans l'une de ses poches pour en sortir une épingle de cravate, qu'il fixa.

— Jolie épingle, observa la jeune femme, d'une voix à présent tendue. Elle ne porte pas ton nom, comme celle que je t'ai offerte, mais je pense qu'elle fera l'affaire.

— Je l'ai achetée tout récemment. Allons-y.

— Attends... Il y a autre chose que j'ai oublié de te dire.

Les sourcils froncés, il lâcha un long soupir.

— Une autre confession ?...

— Oui, une autre.

— Vas-y.

Il croisa les bras sur sa poitrine.

— D'accord... Je t'aime !

Et elle se dirigea aussitôt vers la porte. Stefano dut faire appel à toute sa volonté pour ne pas la prendre dans ses bras et l'emmener loin de là. Elle l'aimait !

— Tu n'as peut-être pas choisi le meilleur moment pour me l'annoncer, *cara*..., murmura-t-il en la dévorant du regard. Mais nous reprendrons cette intéressante discussion plus tard.

Cornell attendait impatiemment leur retour. Son avocat se tenait debout derrière lui.

— Alors, quelle est finalement votre décision ? lança-t-il dès qu'ils eurent franchi le seuil de la salle de réunion.

Ce fut Pénélope qui se chargea de lui répondre.

— Nous vendons. Mais à une condition.

— Il y a toujours une condition ! observa-t-il avec un petit rire sarcastique.

— Voyons si vous acceptez celle-ci. Je dois vous avertir qu'il s'agit d'une condition sine qua non. Si vous la refusez, il n'y aura pas de vente.

— Quelle est cette fameuse condition ?

— Je veux savoir toute la vérité au sujet de l'affaire Bennett.

— Vous plaisantez ?

— Absolument pas.

— Et qu'est-ce qui vous fait croire que j'aurais des informations à vous transmettre ?

Avec un regard en direction de Stefano, il ajouta :

— Vous devriez plutôt interroger votre mari, qui était directement concerné !

— Pas de sornettes, Cornell ! s'exclama Stefano. Nous ne vous demandons pas de vous livrer à des aveux publics. Nous attendons seulement de vous que vous confirmiez certains faits.

— Simple curiosité de ma part, que ferez-vous de cette... « confirmation » ?

Stefano mit les mains dans les poches de sa veste.

— Nous ne pourrions pas en faire grand-chose, n'est-ce pas ?

— Dans ce cas, pourquoi y attacher autant d'importance ?

— J'aimerais savoir si vous êtes vraiment assez rusé pour monter une escroquerie parfaite. Vous ne m'en voudrez pas si je vous avoue avoir quelques doutes...

Cornell rit de nouveau, de ce rire caustique qui sonnait si désagréablement aux oreilles de Pénélope.

— Je vois. Eh bien, je vais consentir à vous satisfaire et à vous dire ce que je sais sur l'affaire Bennett. Mais pas avant que Mme Salvatore ait signé ces documents, ajouta-t-il d'un ton tranchant.

142

Stefano secoua la tête.

— Il n'en est pas question.

— Que se passe-t-il? Vous n'avez pas confiance en moi? railla Cornell.

— Aucune confiance.

— Dans ce cas, j'ai bien peur que nous nous trouvions dans une impasse, mon cher.

— J'accepte de signer en premier, intervint Pénélope. Si vous acceptez toutefois que mon avocat garde ce contrat — sans votre signature — jusqu'à ce que nous ayons entendu ce que vous avez à nous dire.

— Non, Nellie! protesta Stefano avec véhémence. Ce n'est pas ce qui a été convenu entre nous. Cela ne vaut pas la peine de...

La jeune femme leva la main pour l'interrompre.

— Ne t'inquiète pas, je sais ce que je fais.

— Je n'en suis pas si sûr.

Ce fut au tour de Cornell d'intervenir.

— Je propose que vous signiez, madame Salvatore, et que ce soit plutôt mon avocat qui conserve ces documents. Salvatore pourra toujours lui casser la figure pour récupérer le contrat, si je ne tiens pas parole!

— Très bien, fit Pénélope. Votre avocat. Et quand vous nous aurez donné ce que nous attendons de vous, Crabe vous appartiendra officiellement et vous pourrez repartir.

— Je suppose que cette petite conversation aura lieu... en privé?

— Bien sûr.

Cornell se frotta les mains.

— Eh bien, marché conclu!

L'avocat de Cornell prit alors la parole.

— Monsieur... Je partage l'avis de M. Salvatore. Ça ne me semble pas très judicieux. Je vous recommande de...

— Comme vient de le dire madame, nous savons ce que nous faisons, Curtis.

— Mais, monsieur...

— Je propose que nous en finissions avec ce contrat

avant que M. Salvatore ne réussisse à faire changer d'avis Mme Salvatore.

Quelques minutes plus tard, avocats et secrétaires étaient rassemblés dans la salle de réunion. Il ne fallut pas longtemps à Pénélope pour signer les documents restants.

Dès qu'elle eut terminé, elle tendit le dossier à Curtis.

— Maintenant, si vous voulez bien nous laisser seuls... Nous avons encore quelques menus détails à tirer au clair, M. Cornell et moi.

La porte venait tout juste de se refermer que Pénélope se tourna vers Cornell.

— Alors ? Je suis tout ouïe. Et je tiens à vous préciser que si vous ne me racontez pas toute la vérité sur l'affaire Bennett, je me chargerai moi-même de déchirer ce contrat en mille morceaux !

Cornell se leva.

— Ne vous inquiétez pas, vous allez bientôt savoir toute la vérité. Dès que j'aurai réglé un petit problème.

Il se dirigea alors vers un coin de la pièce, grimpa sur une chaise et dévissa l'objectif de la caméra. Suite à quoi, il lança à Pénélope un regard moqueur par-dessus son épaule.

— J'ai failli ne pas la voir. J'espère que vous ne m'en voudrez pas si je vous prive d'un enregistrement qui vous tenait sans doute à cœur...

La jeune femme avait blêmi. Stefano vint aussitôt se placer à son côté et passa un bras autour de ses épaules.

— Détends-toi, lui chuchota-t-il à l'oreille.

Un sourire suffisant aux lèvres, Cornell regagna sa place.

— Me prendriez-vous pour un parfait imbécile ? Une seule raison pouvait vous inciter à me céder Crabe en échange de mes aveux. J'ai mis à profit votre absence pour chercher cette raison. Et je l'ai trouvée !

Pénélope redressa le menton en un geste de défi.

— Cela signifie que vous rompez notre marché ?

— Du tout. Dans la mesure où votre caméra est désormais hors d'état de nuire, il n'y a aucun motif pour que je ne tienne pas parole.

144

— Vous êtes certain de ne pas vouloir nous fouiller pour vous assurer que nous n'avons pas des micros cachés sur nous ? lança-t-elle, acerbe.

— Cela ne me semble pas nécessaire, ma chère. A en juger par la réaction que vous avez eue quand j'ai dévissé l'objectif de votre caméra, il me semble évident que vous n'aviez que cette carte en main !

Il rapprocha son siège de la table et croisa les bras.

— Voyez-vous, je pense que mon avocat a raison. Ce n'est jamais très judicieux d'avouer ses propres délits.

— Dans ce cas, pourquoi le faites-vous ?

— Parce qu'il ne peut pas résister au plaisir de nous montrer comment il nous a manœuvrés, déclara Stefano d'une voix étonnamment calme. En commençant par l'affaire Bennett.

— Vous vous méprenez. Tout n'a pas commencé par l'affaire Bennett.

Il décocha un regard glacial à Pénélope avant de poursuivre :

— Tout a commencé chez Janus. Malheureusement, cela n'a pas duré très longtemps parce que votre femme a mis fin à un marché assez lucratif que j'avais réussi à installer dans les locaux de cette compagnie...

La jeune femme ouvrit des yeux horrifiés.

— Com... ment ?

— Allons, madame Salvatore, ne prenez donc pas cet air choqué. Vous comprendrez bien que j'aie préféré m'assurer les services de l'un de vos employés — contre espèces sonnantes et trébuchantes — plutôt que mettre en péril ma propre entreprise d'import-export en me livrant à ce petit trafic.

— C'était donc vous le responsable de cette affaire ignoble ? murmura-t-elle en le fixant, les yeux plissés. Et vous aussi, j'imagine, qui vous cachez derrière la compagnie fantôme qui a subtilisé l'argent des Bennett ?

Cornell soupira.

— Je plaide coupable.

— Vous encore, je suppose, qui avez fait retomber tous les soupçons sur Stefano ?

— Je plaide toujours coupable.

— Pour finir, vous aussi qui avez répandu la nouvelle concernant l'état de santé de mon oncle.

Cette fois, Pénélope n'avait pas pris la peine de s'exprimer sur le mode interrogatif.

— Sans même vérifier auprès du corps médical si ce que vous avanciez était vrai ! ajouta-t-elle sèchement.

Cornell haussa les sourcils.

— Ce serait donc faux ? Bah, peu importe. L'information a été divulguée, et c'est là tout ce qui m'intéresse. J'ai téléphoné au *Financial News* et je me suis fait passer pour vous, Salvatore. J'avoue être assez content de moi !

— Vous vous êtes servi de mon nom pour semer le doute dans l'esprit de Nellie, je présume ?

— Exact, mais je suis bien forcé de constater que cette manœuvre n'a pas porté ses fruits. Il semblerait que cette jeune personne si intelligente, dotée d'un tel pouvoir d'analyse, soit incapable de faire preuve de raison dès qu'il s'agit de vous.

— Comment ? protesta violemment Pénélope.

— Calme-toi, *cara*.

Cornell se mit alors à pianoter avec impatience sur la table.

— Bien, si nous en avons fini, je peux peut-être partir ?

— Nous en avons bel et bien fini, lui répondit Stefano. Il y a toutefois un petit problème.

— Lequel ?

— Je crains que vous n'ayez payé très cher pour pas grand-chose...

— Désolé de vous contredire, Salvatore, mais je ne considère pas Crabe comme « pas grand-chose » !

— Et vous avez raison. Mais les parts de ma femme dans cette entreprise sont infimes. Et ce sont ses parts que vous avez achetées. Il y a quelques minutes à peine, elle ne possédait qu'un pour cent de la compagnie. En revanche, si elle avait décidé de vous vendre Salvatore & Co., vous auriez fait une excellente affaire puisqu'elle détient désormais quatre-vingt-dix-neuf pour cent de notre entreprise.

Médusée, Pénélope leva les yeux vers lui.

— Mais que... ?

— Il était stipulé sur les documents que tu as signés il y a peu, que nous échangions nos titres de propriété, mon cœur.

Stefano reporta alors son attention sur Cornell, auquel il adressa un sourire d'une grande froideur.

— Vous savez comment ça se passe, chez les gens mariés. Ce qui est à moi est à elle, et vice versa !

— Le tribunal vous condamnera ! déclara Cornell, furieux. Ce que vous avez fait s'appelle frauder !

— J'ai bien peur que cette affaire ne soit jamais jugée. Parce que vous aurez d'autres menus problèmes d'ordre légal à régler...

Stefano se tourna alors en direction de la porte et s'écria :

— Avez-vous la confession de Cornell, Wilfred ?

La porte s'ouvrit aussitôt.

— L'enregistrement est parfaitement passé, monsieur Salvatore. Nous nous sommes malheureusement trouvés dans l'obligation d'employer la force à l'égard de M. Curtis pour le tenir à l'écart. Les journalistes ont manifesté beaucoup d'intérêt pour ce qu'ils ont entendu, mais je suppose qu'ils voudraient maintenant poser quelques questions à M. Cornell.

L'air hagard, Pénélope clignait des paupières.

— Mais comment... ? Pourquoi... ? Je ne comprends rien du tout !

— Défaisons-nous d'abord de Cornell, et je répondrai à toutes tes questions.

Sur ce, Stefano enleva son épingle de cravate et le micro miniature astucieusement caché à l'intérieur.

— Je crois que nous n'aurons plus besoin de ceci, déclara-t-il en posant le tout sur la table. Je n'ai pas la moindre envie que le reste de notre conversation soit enregistré.

Cornell avança vers Stefano, le foudroyant du regard.

— Vous me paierez cette petite plaisanterie ! Et cher !

— Je crains que vous n'ayez d'autres chats à fouetter, dans les mois à venir...

Au moment même où Cornell sortait de la salle de réunion, une nuée de journalistes s'abattit sur lui.

— Cindy ! lança Stefano. Vous voulez bien m'apporter les documents que ma femme a signés ? Tous les documents, s'il vous plaît.

Puis il referma la porte derrière lui et se tourna vers Pénélope, qui était toujours debout, les bras ballants.

— Assieds-toi, *cara*. Je suppose que tu aimerais avoir quelques éclaircissements sur les événements qui viennent de se produire ?

— En effet ! Si ce n'est pas trop demander, bien sûr... J'ai cru comprendre que je n'étais plus propriétaire de Crabe, c'est bien ça ?

— Tu étais de toute façon résolue à céder ton entreprise, à Cornell. Dès que tout sera rentré dans l'ordre, Wilfred te remettra certains papiers que je lui ai fournis, et tu récupéreras alors tes biens. A ce moment-là, plus personne ne croira aux problèmes de santé de Loren, puisque Cornell, qui aura perdu tout crédit aux yeux de tout San Francisco, est à l'origine de cette rumeur. Crabe reprendra alors sa valeur réelle...

Pénélope secoua lentement la tête et soupira.

— Pourquoi ne m'as-tu pas informée de ce qui se tramait ?

— Parce que Cornell aurait flairé quelque chose, Nellie. Il a cru pouvoir parler en toute sécurité parce que tu le croyais aussi.

Elle tourna les yeux vers le matériel sophistiqué qui était resté sur la table.

— Tu étais donc « branché »... Comment se fait-il que je n'aie rien remarqué quand nous nous sommes embrassés ?

— J'ai tout mis en place pendant que tu te remaquillais.

148

Tu étais trop occupée pour y prêter attention. Je ne te cacherai pas que j'ai eu chaud quand tu as proposé à Cornell de nous fouiller !

Cette remarque la fit sourire.

— Comment pouvais-tu être aussi sûr que Cornell nous dirait la vérité ?

— Je ne l'étais pas. Il fallait courir le risque. De toute façon, même s'il avait finalement décidé de se taire, nous n'aurions pas perdu grand-chose puisque tu ne possédais plus que un pour cent de Crabe. Le contrat, il l'aurait détruit lui-même ! Bien sûr, il aurait alors entamé des poursuites judiciaires contre nous, mais j'espérais bien que nous n'en arriverions pas là.

A ce moment-là on frappa à la porte et Cindy apparut avec les dossiers que lui avait demandés Stefano. Pénélope les feuilleta distraitement et attendit que sa secrétaire soit sortie pour lever les yeux sur son mari.

— Si les choses ne s'étaient pas déroulées comme prévu, ta réputation aurait été à tout jamais perdue. Tu étais prêt à tout sacrifier... pour moi ?

— Tu n'étais peut-être pas prête à tout sacrifier pour moi, Nellie ? Le contrat concernant Crabe et Salvatore ne devait t'être présenté que si tu décidais d'opter pour l'attitude la plus noble. Celle qui consistait à me tirer d'embarras. Si tu avais refusé de vendre, ces documents seraient restés dans leur enveloppe.

Il lui sourit et reprit, d'un ton tendrement railleur.

— Te voilà donc maintenant actionnaire largement majoritaire de Salvatore & Co. !

Les sourcils froncés, la jeune femme reprit le contrat auquel il faisait allusion et l'examina plus attentivement.

— Vous avez... tous signé.

— Tous. Il le fallait, sans quoi ce document n'aurait eu aucune valeur légale.

— Tes frères étaient donc d'accord ? Même ton père... Pourquoi, Stefano ? Je ne comprends pas.

— Pace que tu fais partie de notre famille, *cara*.

— Pourtant... ils savaient bien que notre mariage était temporaire ?

Souriant toujours, il vint s'agenouiller devant elle et lui prit les mains.

— Ils n'ont jamais cru à cette histoire « d'association ». Et je crois qu'ils ont eu raison !

L'air soudain grave, il lui souleva le menton et scruta son regard doré.

— Tu m'as fait une promesse, hier soir. Est-ce que tu t'en souviens ?

Pénélope hocha la tête avec lenteur. Elle se rappelait chacun des mots murmurés dans le feu de la passion.

— Oui. Je t'ai promis de t'aimer jusqu'à la fin de mes jours.

— Et ? insista-t-il.

— Et je suis une femme de parole, Stefano Salvatore, murmura-t-elle en lui passant les bras autour du cou. Peut-être pas aussi logique et rationnelle que je me suis obstinée à le croire... mais tant pis !

— Non. Tant mieux. « Le cœur a ses raisons que la raison ne connaît pas », tu le sais bien.

Leurs lèvres se joignirent alors en un long baiser. Un baiser d'amour.

Le nouveau visage
de la collection Or

◆

AMOURS D'AUJOURD'HUI

Afin de mieux exprimer sa modernité et de vous séduire encore davantage, votre collection Or a changé de couverture et de nom depuis le 1er mars 1995.

Rassurez-vous, les romans, eux, ne changent pas, et vous pourrez retrouver dans la collection **Amours d'Aujourd'hui** tous vos auteurs préférés.

Comme chaque mois, en effet, vous y attendent des héros d'aujourd'hui, aux prises avec des passions fortes et des situations difficiles...

COLLECTION
AMOURS D'AUJOURD'HUI :
Quand l'amour guérit des blessures de la vie...

Chère lectrice,

Vous nous êtes fidèle depuis longtemps?
Vous venez de faire notre connaissance?

C'est pour votre plaisir que nous avons
imaginé un rendez-vous chaque mois
avec vos auteurs préférés, vos
AUTEURS VEDETTE dans les
collections Azur et Horizon.

Les AUTEURS VEDETTE vous
donneront rendez-vous pour de
nouveaux livres vedette.

Pour les reconnaître, cherchez
l'étoile ... Elle vous guidera!

Éditions Harlequin

HARLEQUIN

LE FORUM DES LECTEURS ET LECTRICES

CHERS(ES) LECTEURS ET LECTRICES,

VOUS NOUS ETES FIDÈLES DEPUIS LONGTEMPS?

VOUS VENEZ DE FAIRE NOTRE CONNAISSANCE?

SI VOUS AVEZ DES COMMENTAIRES, DES CRITIQUES À
FORMULER, DES SUGGESTIONS À OFFRIR, N'HÉSITEZ
PAS… ÉCRIVEZ-NOUS À:
      LES ENTREPRISES HARLEQUIN LTÉE.
      498 RUE ODILE
      FABREVILLE, LAVAL, QUÉBEC.
      H7R 5X1

C'EST AVEC VOS PRÉCIEUX COMMENTAIRES QUE NOUS
ALLONS POUVOIR MIEUX VOUS SERVIR.

DE PLUS, SI VOUS DÉSIREZ RECEVOIR UNE OU
PLUSIEURS DE VOS SÉRIES HARLEQUIN PRÉFÉRÉE(S)
À VOTRE DOMICILE, NE TARDEZ PAS À CONTACTER LE
SERVICE D'ABONNEMENT; EN APPELANT AU
(514) 875-4444 (RÉGION DE MONTRÉAL) OU 1-800-667-4444
(EXTÉRIEUR DE MONTRÉAL) OU TÉLÉCOPIEUR
(514) 523-4444 OU COURRIER ELECTRONIQUE:
AQCOURRIER@ABONNEMENT.QC.CA OU EN ÉCRIVANT À:
      ABONNEMENT QUÉBEC
      525 RUE LOUIS-PASTEUR
      BOUCHERVILLE, QUÉBEC
      J4B 8E7

MERCI, À L'AVANCE, DE VOTRE COOPÉRATION.

BONNE LECTURE.

HARLEQUIN.

VOTRE PASSEPORT POUR LE MONDE DE L'AMOUR.

ROUGE PASSION

De fiévreuses histoires d'amour sensuelles!

De provocantes histoires d'amour passionnées et romantiques qu'on lit d'une seule traite. Aventureuses, parfois humoristiques, et sensuelles, elles mettent en vedette des hommes et des femmes d'aujourd'hui.

ROUGE PASSION... quatre nouveaux titres chaque mois.

La COLLECTION AZUR

Offre une lecture rapide et

- stimulante
- poignante
- exotique
- contemporaine
- romantique
- passionnée
- sensationnelle!

COLLECTION AZUR . . . des histoires
d'amour traditionnelles qui vous
mènent au bout du monde!
Six nouveaux titres chaque mois.

HARLEQUIN

En août, on vous tente avec un livre SUPER PASSION de la série Rouge Passion.

Les livres SUPER PASSION sont un peu plus sensuels et excitants, mais toujours l'amour triomphe des contraintes, de dilemmes et vient réchauffer votre coeur comme une caresse.

Une histoire SUPER PASSION chaque mois, disponible là où les romans Harlequin sont en vente !

Composé sur le serveur d'Euronumérique, à Montrouge
par les Éditions Harlequin
Achevé d'imprimer en septembre 2001

BUSSIÈRE

GROUPE CPI

à Saint-Amand-Montrond (Cher)
Dépôt légal : octobre 2001
N° d'imprimeur . 14862 — N° d'éditeur : 8976

Imprimé en France